HAJIME NO IPPO

First published in Japan in 1990 by KODANSHA LTD., Tokyo.
Publication rights for this spanish edition arranged through
KODANSHA LTD., Tokyo.

KODANSHA

Publicación de Editorial Planeta, SA.
Diagonal, 662-664, 08034 Barcelona.

Traducción: Héctor Angulo (DARUMA Serveis Lingüístics, SL)

ISBN: 978-84-1140-911-7.
Depósito legal: B. 6124-2023 (10324465).
Printed in EU / Impreso en UE.

Inscríbete en nuestro boletín de novedades en:
Web: www.planetacomic.com
Blog: https://www.planetadelibros.com/blog/planeta-fantasy/16
Facebook/Instagram/Twitter/Youtube: @PlanetadComic

ES UNA PENA... CON LOS GOLPES TAN BUENOS QUE TIENES.
MIENTRAS YO ESTÉ EN TU CATEGORÍA NO PODRÁS ASPIRAR A LA CIMA.
OESTE
¿QUÉ HARÁS? ¿TE CAMBIARÁS? JE, JE, JE...
JA, JA...
GRACIAS POR LA OFERTA, PERO NO TENGO INTENCIÓN DE CAMBIAR DE CATEGORÍA.
LE PROMETÍ A MIYATA QUE NOS VERÍAMOS EN LA FINAL DEL TORNEO DE NUEVAS PROMESAS DEL ESTE DE JAPÓN.
NO ES QUE CREA QUE YO PUEDO LLEGAR HASTA ALLÍ, PERO...
...AHORA MISMO ME ESTOY ESFORZANDO POR LOGRAR ESA META.
¡ASÍ QUE NO PIENSO CAMBIAR DE CATEGORÍA PASE LO QUE PASE!
CONTINUARÁ EN EL SEGUNDO VOLUMEN

Joji Morikawa

HAJIME NO IPPO

1

Espíritu de lucha

Planeta Cómic

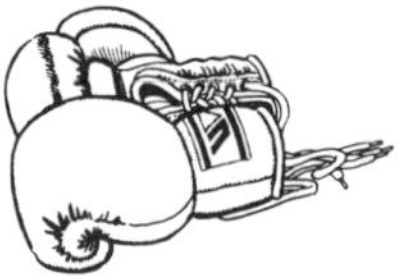

ÍNDICE

HAJIME NO IPPO

IPPO
一歩

Joji Morikawa

HAJIME NO IPPO

Asalto 1: El primer paso

HAJIME NO IPPO

AH...
ESTA NOCHE TENGO QUE AYUDAR A MI MADRE.
¡VAMOS, VENGA!
UGH...
LO... LO SIENTO. MI MADRE SE DEDICA A ALQUILAR BOTES DE PESCA...
...Y TENGO QUE AYUDARLA PORQUE ELLA SOLA NO PUEDE CON TODO.
YA VEO... QUÉ RESPONSABLE. AUNQUE ES UNA PENA.
LA... LA PRÓXIMA VEZ IRÉ.
¡RÁPIDO, AIKAWA!
¡YA VOY!
LA OTRA VEZ NOS DIJO LO MISMO.
QUÉ TÍO MÁS ABURRIDO.
ピシャ!!
PLANC
EL OTRO DÍA LO VI RODEADO DE UNOS TIPOS CON PINTA DE PANDILLEROS.
SEGURO QUE SE METEN CON ÉL.
¡JA, JA, JA, JA!
BLA BLA BLA
BLA BLA BLA
ADEMÁS...
¿EN SERIO?
¡JA, JA, JA, JA, JA, JA, JA!
JA! JA...
...

TAP... TAP...
トボ トボ
¡¡IPPO!!
AH... UMEZAWA.
¿QUÉ HAY?
ÑIC
ZAS ZAS
ZAS
TAP TAP
PA... PASAD.
ZAS ZAS ZAS
¿HM? ¿NO HUELE MAL AQUÍ?
SNIF SNIF
SNIF
ES VERDAD.
¿EH? ¿QUÉ SERÁ?
SNIF SNIF
SNIF

¡ERES TÚ, IMBÉCIL! ¡APESTAS A LOMBRICES!
PATAM
¡UAAH!
¡JA, JA, JA, JA, JA!
ROLONC
ZAS ZAS ZAS

CATAPLAM
ZAS
SE TE HA PEGADO EL OLOR DE TANTO MANOSEARLAS.
¿ES QUE NO LO NOTAS?
ÑUG
AY...
LO... LO SIENTO, PERO ES NUESTRO TRABAJO.
NO TIENE REMEDIO.
ESTOY HARTO.
TODA LA ESCUELA APESTA A LOMBRICES POR TU CULPA.
EN REALIDAD SON GUSANOS MARINOS.
BS
GRRR
¿¡HAS DICHO ALGO!?
PAF PAF
AU...

¿QUIÉN TE CREES QUE ERES?
¡A MÍ NO ME RESPONDAS!
...
PLAF PLAF PLAF PLAF PLAF PLAF PLAF PLAF PLAF
PLAF PLAF PLAF PLAF PLAF PLAF PLAF
¡COF! AGH...
UGH...
TEKE
~~~~
SI TÚ HUELES ASÍ DE MAL...
...TU MADRE DEBE DE APESTAR.
~~~~

¿HM?
¿POR QUÉ ME MIRAS ASÍ?
...
AH, JE, JE.
NO ES NADA...
TSK.
TAP
PATAM
¡¡ÉCHALE AGALLAS DE VEZ EN CUANDO!!
PAM
NO TE DESMAYES TODAVÍA.
PAF

MADRE MÍA, PERO QUÉ ESTROPICIO.
PUES TAMPOCO PARECEN TAN FUERTES.
GRRR...
¿QUIÉN MIERDA ERES TÚ?
NO OS LO TENGÁIS TAN CREÍDO.
IDIOTAS.
PLOC PLOC
ポリ ポリ
¡CIERRA EL PICO, IMBÉCIL!
ZAS
AY...

¡TOMA ESTO!
FUM
HMPF...
FAS
AH...
POM
¡TE VAS A ENTERAR!
TAP TAP
FIUM
FUM
FUM
UGH...
PLONC
ZAS
¿SOIS UN VENTILADOR O QUÉ?

UGH...
NO TE HAGAS EL CHULO SOLO PORQUE SEAS UN POCO RÁPIDO.
FLAP
はらり…
¿EH?
...
PAS
ぱっ
FLIP FLIP
バラバラ
¿QUIÉN ESTÁ CHULEÁNDOSE? ¿VOSOTROS O YO?
¿EH?

UGH...
CLINC
CLINC
CLINC
NOS... ¡NOS LAS PAGARÁS!
¡MALDITA SEA!
TAP TAP TAP
JA.
IN...
BRRR
BRRR
INCREÍBLE...
¡AH!
FRAS
¡EH! ¡DESPIERTA!
FRAS
FRAS
FRAS
FRAS
¡AHÍ TE QUEDAS! YO NO TENGO NADA QUE VER CONTIGO.
¡¡DESMÁYATE SI QUIERES!!
PLAF
...

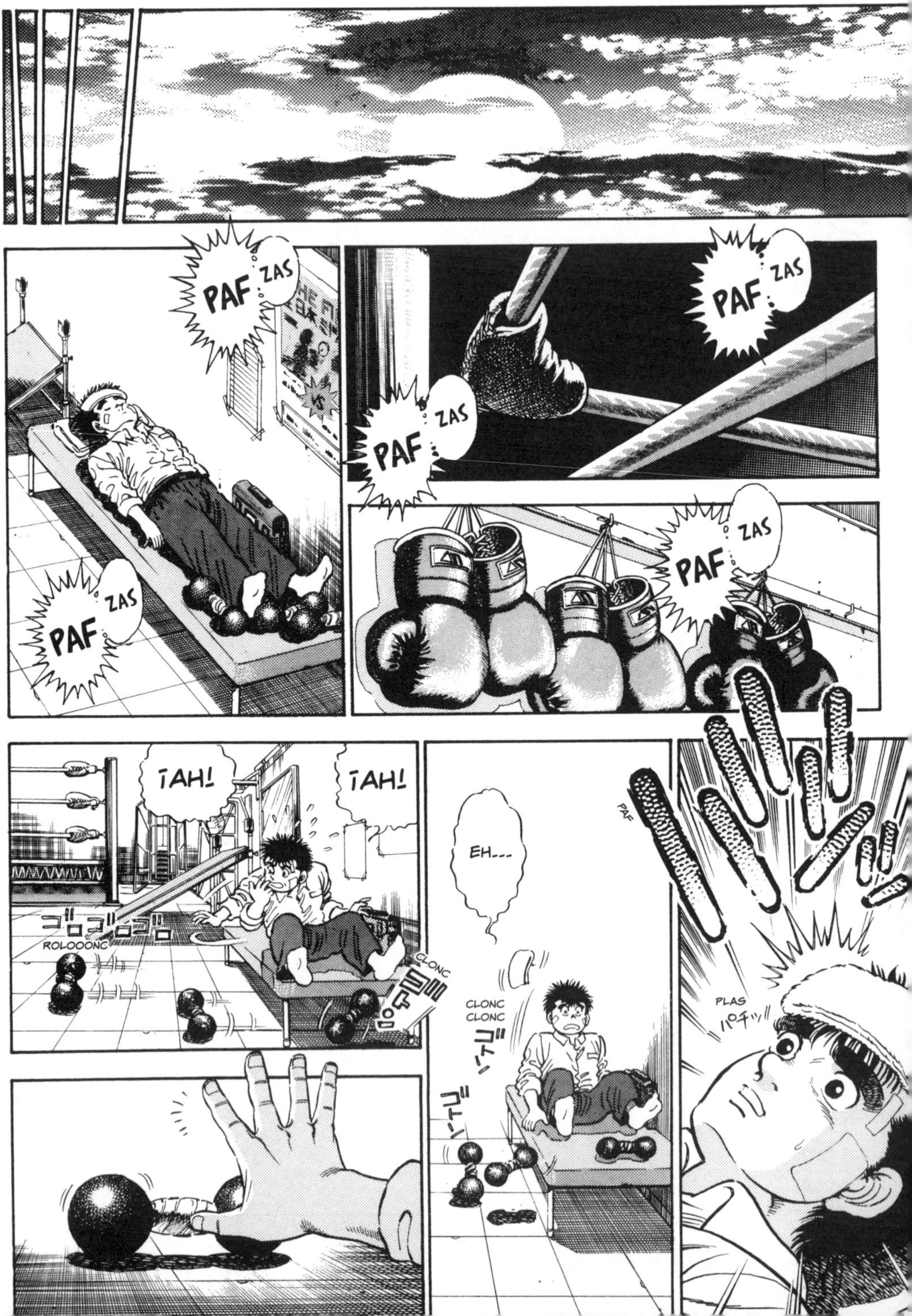
PAF
ZAS
PAF
ZAS
PAF
ZAS
PAF
ZAS
PAF
ZAS
PAF
PLAS
EH...
CLONC
CLONC
¡AH!
¡AH!
ROLOOONC
CLONC

PAF
PLOC
PAF
PAF
PAF
ZAS
ZUM
ZUM
ZAS
ZUM
ZUM
ÑIC
ÑIC
ÑIC
ÑIC
ÑIC
FAS
PAF
PLOC
PAF
OH...
ぞろ ぞろ
TAP TAP TAP
ぞろ
AY...
AYAYAY...

TE HE TRAÍDO PARA PODER TRATARTE LAS HERIDAS.
FLOP
スポッ
GI... ¿GIMNASIO DE BOXEO?
FLIP FLIP
きょろきょろ
¿ES LA PRIMERA VEZ QUE VES UN GIMNASIO DE BOXEO?
¡AH!
HM.
MU... ¡MUCHÍSIMAS GRACIAS!
FRAS
ささっ
AH.
はっ
ZAS ZAS
ZAS
¡NADA!
¿QUÉ ESTÁIS HACIENDO VOSOTROS?
ギロ...
GR...

TÚ TAMPOCO TE QUEDES AHÍ PARADO.
SI ESTÁS DESPIERTO, VETE A CASA.
ZAS ZAS ZAS
ZAS ZAS
ODIO A LA GENTE QUE SE METE CON LOS DÉBILES.
PERO LOS QUE SE QUEDAN CALLADOS Y NO SE DEFIENDEN ME DAN ASCO.
QUÉ PATÉTICO.
URGH...
...
TAP
ペコッ
TU MADRE...
SNIF SNIF
ぐしっ ぐしっ
TAP TAP TAP TAP
とぼ とぼ とぼ とぼ...

ESPERA UN MOMENTO.
ÑUG
TSK.
PERO SI ESTABAS LLORANDO DE RABIA.
BS
BS BS
ÑIC
ÑIC
ÑIIIC
きゅっ
TACHÁN
¡¡LISTO!!
¡IMAGÍNATE QUE SON LOS TIPOS DE ANTES Y PÉGALE UN PUÑETAZO!
¿¡EH!?

PAS
NO SE PARE...
¡DEJA DE QUEJARTE Y DALE!
YA VERÁS COMO TE SIENTES MEJOR.
¡DATE PRISA!
AY, AY, AY...
PATAF
BUENO...
ALLÁ VOY.
HM...
CREO QUE ERA ALGO ASÍ...
POF
ぱふっ
PLIC
¡JA,JA,JA,JA,JA!
PTFFF
¿¡QUÉ CLASE DE PUÑETAZO ES ESE!?
¡UAAH!
PATAF
PATAF

¡CIERRA LOS CODOS!
¡PON LOS PUÑOS A LA ALTURA DE LOS OJOS!
EL GOLPE TIENE QUE IR EN LÍNEA RECTA HACIA TU OBJETIVO.
ZAS ZAS
¡¡Y GOLPEA!!
ZUM
BAAAM
GUAU ...
ÑIC
ÑIC
AHÍ TIENES UNA DEMOSTRACIÓN.
HM...

TAP
TAP
¿QUÉ PASA?
ZAS
ZAS
ZAS
BSSS
BSSS
BSSS
A VER... CIERRO LOS CODOS...
LOS PU-ÑOS...
BSSS
BSSS
BSSS
BAAM
¡OH!
¡ESO ES!
¡ESE ES EL ESPÍ-RITU!
JA, JA.
FRAS
FRAS
¡MIRA! PARECE QUE LE HA DOLIDO, ¿NO?
ばんっ
PAF
...

PRUEBA A DAR UN PASO AL FRENTE PRIMERO.
TOMP
¿UN... PASO AL FRENTE?
¡¡Y EN EL MOMENTO EN QUE PISAS, METES LA CADERA...!!
PAF PAF
¡¡...A LA VEZ QUE HACES GIRAR EL HOMBRO HACIA DENTRO!!
ÑIC
UN PASO AL FRENTE...
TOMP
...LA CADERA...
ÑAC
...Y EL HOMBRO.
ÑIC
VOY A PROBAR.
FIUM FIUM
ÑUG

¡TOMA!
TOMP
ÑAAAC
BAAAM

CLANC
CLANC
がしゃん
がっしゃん
EH...
¡OOO OOH!
PLIS
BLUB
ぬる...
¡QUÉ BIEN SIENTA!
¡MIRA! ¡LO HE HECHO COMO ME HABÍAS DICHO!
づが づが
TAP TAP
ギシ
ギシ
ÑIIIC
ÑIIIC
ぐいっ
ÑUG
AY...

...
VEN CONMIGO...
ガチャ
CACHAC
AU, AY...
バタン
PATAM
¿LE HABÉIS VISTO LA MANO?
TENÍA TODA LA PIEL LE-VANTADA.
¿NO ES ESO LO QUE DICEN QUE LES PASA A TODOS LOS HARD PUNCHER?
¿ESE TIPO? NO CREO...

BOTIQUÍN DE EMERGENCIA
JA, JA. SÍ QUE SON DUROS LOS SACOS DE BOXEO.
ZAS
ジョキン
ÑUG
ぐっ
AH...
ÑUG
ぐっ
ÑUG
ぐっ
ペタ ペタ ペタ ペタ ペタ ペタ ペタ ペタ ペタ ペタ
PAT PAT PAT PAT PAT PAT PAT PAT
PE... PERO ¿QUÉ HACES?
...
TE LLAMABAS IPPO, ¿VERDAD? PARECES ENCLENQUE, PERO TIENES BUENOS MÚSCULOS.
¿HACES ALGO?
¿DEPORTE O CULTURISMO, POR EJEMPLO?
QUÉ VA, TENGO QUE AYUDAR CON EL TRABAJO EN CASA ASÍ QUE NUNCA HE PARTICIPADO EN ACTIVIDADES DE CLUB.
ALQUILAMOS BARCOS DE PESCA, ASÍ QUE TAMBIÉN MADRUGAMOS MUCHO.
FLIP FLIP
ふり ふり
CONQUE BARCOS DE PESCA, ¿EH?
YA VEO.

¿POR QUÉ NO PRUEBAS A GOLPEAR A ESOS TIPOS LA PRÓXIMA VEZ?
COMO SEA, PARECE QUE LO LLEVAS EN LA SANGRE.
ZAS ZAS
PE... ¿¡PERO QUÉ DICES!?
¡SI HAGO ESO, ME VAN A DAR UNA PALIZA!
IDIOTA. TAMBIÉN SE METÍAN CON MIKE TYSON CUANDO ERA PEQUEÑO.
¿¡EH!?
¿TE REFIERES AL SUPERCAMPEÓN?
NO ME LO PUEDO CREER...
ADEMÁS, NUNCA ME HE PEGADO CON NADIE.
COMO HAS VISTO, SIEMPRE SE ESTÁN METIENDO CONMIGO.
TODO EL MUNDO LO VE COMO UN MALOTE...
...PERO DE PEQUEÑO DICEN QUE ERA EL MÁS TÍMIDO Y TRANQUILO DE TODOS.
CUENTAN QUE, CUANDO SE METÍAN CON ÉL, VOLVÍA LLORANDO A CASA A DAR DE COMER A LAS PALOMAS.
TIRORIRO TIRORIRO
NO CONSIGO HACERME A LA IDEA...

¿Y... POR QUÉ EMPEZÓ A BOXEAR UN NIÑO ASÍ?
UNO DE LOS QUE SE METÍA CON ÉL MATÓ UNA PALOMA.
CUANDO TYSON LO VIO...
...SE PUSO FURIOSO.
FUE ENTONCES CUANDO SE DIO CUENTA POR PRIMERA VEZ DEL PODER QUE GUARDABAN SUS PUÑOS.
Y ASÍ, A LOS 20 AÑOS SE ALZÓ COMO CAMPEÓN DE LOS PESOS PESADOS.
PIIIC
SE CONVIRTIÓ EN ALGUIEN TOTALMENTE DISTINTO: RENACIÓ.
UPS, YA ES LA HORA DE SALIR A CORRER.

ZIP
すっ…
¡TOMA!
CHAC
ガシャッ!
Recopilación de KO de Mike Tyson
TE LA PRESTO.
PUEDES DEVOLVERLA CUANDO QUIERAS.
ÑIC
ギッ
PATAM
バタン!!
¡AH!
PAM
バン!
TAP TAP TAP TAP
TAP TAP TAP TAP
ダダ
SE HA IDO...
ME HUBIERA GUSTADO HABLAR MÁS CON ÉL.

BARCOS DE PESCA MAKUNOUCHI
TEL-000-0000
TENEMOS CEBOS: GUSANOS DE MAR, POLIQUETOS, CRÍAS DE GAMBAS Y TURBO CORNUTUS
BLA
BLA
BLA
IPPO, ¿AHORA VUELVES DE CLASE?
QUÉ TARDE LLEGAS.
¡AH!
PERO SI ESTÁS LLENO DE MORATONES.
COMO SIEMPRE TIENES QUE TRABAJAR NO PUEDES HACER AMIGOS Y SE METEN CONTIGO. ¿ES ESO?
UGH...
ぎくっ
PA... ¡¡PARA NADA, MAMÁ!!
FLIM
ささっ
PERO...
AH...
?
ずしっ
ZAP

NO HACE FALTA QUE TE PRE-OCUPES POR ESO.
¡¡YO LO LLEVO!!
TRANQUI-LA, DÉ-JAMELO A MÍ.
CLANC
DÉNME-LOS, LOS LLEVARÉ TODOS.
CLANC CLANC
LLEVAN HIELO DENTRO, ASÍ QUE PESAN MUCHO.
NNGH...
UUGH...
TRAC TRAC TRAC TRAC TRAC
¡OOOH!
TOMP TOMP TOMP TOMP TOMP

¿DE VERDAD? ENTONCES TENDREMOS QUE ESFORZARNOS.
HOY LA MAREA ESTÁ A SU FAVOR. SEGURO QUE PESCAN UNO GRANDE.
ESO ES, PEQUEÑÍN.
SÉ UN BUEN CEBO PARA QUE LOS CLIENTES VUELVAN CONTENTOS.
FLIP FLOP
うにょ うにょ
うに うに
FLIP FLOP
CUANDO PIQUEN EL ANZUELO, DEBEN LEVANTAR LA CAÑA Y PONER RECTO EL ANZUELO...
Y EL GÓBIDO... Y LOS ROCOTES... Y ESTO, Y LO OTRO...
¡HASTA LUEGO!
TRAC TRAC TRAC TRAC TRAC
ZUM ZUM ZUM
NO SABES CUÁNTO TE LO AGRADEZCO, PERO TODAVÍA ERES UN ESTUDIANTE.
DEBERÍAS DEJAR QUE YO ME ENCARGUE DE ESTAS COSAS Y DEDICARTE A HACER ALGO QUE TE GUSTE.
VA... VALE.

PIC
PIC
ZUM ZUM ZUM
ZUM ZUM ZUM
ZUM ZUM ZUM
LO SIENTO, MAMÁ...
SI FUERA MÁS FUERTE, NO PERMITIRÍA QUE DIJERAN ESAS COSAS DE TI...
¡ESO ES!
FIUM
TAP TAP TAP TAP
MAKUNOUCHI
TAP TAP TAP
BU-BUM BU-BUM BU-BUM
ZAAA
CLASC
¡¡AHÍ ESTÁ!!
TAN

BANG
¡GUAU!
¡¡QUÉ POTENCIA!!
PLOC
PAM
FIUM
FIUM
BLAM
PAF
SIGO SIN PODER CREERLO...
¿DE VERDAD SE METÍAN CON ÉL DE PEQUEÑO?
¡UEH!
ワーッ
¡UEH!
ワーッ
UUUGH...
CONQUE RENACIÓ...
¿...EH?

¿CÓMO SE SENTIRÁ AHORA...?
¿...DESPUÉS DE HACERSE TAN FUERTE?
...
¿CÓMO SERÁ SER FUERTE?

FAS
FAS
FIUM FIUM
FIUM
¡PERDONA!
HO... HOLA.
¿QUÉ HAY? ¿HAS VISTO YA LA PELÍCULA?
FIUM
PAT
SÍ QUE LA HE VISTO. ¡TYSON ES INCREÍBLE!
¡¡MUCHAS GRACIAS, TAKAMURA!!
AH, ¿SÍ? ¡ME ALEGRO!
LA HE VISTO UN MONTÓN DE VECES.
TYSON ES IMPONENTE, ¿VERDAD? AUNQUE ES TAN FUERTE QUE LOS COMBATES EN SÍ SON UN POCO ABURRIDOS.
UN MOMENTO. ¿POR QUÉ SABES CÓMO ME LLAMO?
NO TE LO HE DICHO.
JE, JE, JE.

¡¡POR ESTO!!
¡¡TAKAMURA DEL OESTE: CAMPEÓN DEL TORNEO DE NOVATOS DE LOS PESOS MEDIANOS POR 1RKO*!!
CHAN
NO SABÍA QUE FUERAS EL CAMPEÓN DE LOS NOVATOS.
ESO EXPLICA QUE SEAS TAN FUERTE.
...
BU-BUM BU-BUM BU-BUM BU-BUM BU-BUM
*N. DEL T.: KO EN EL PRIMER ASALTO.
¡CÓMO MOLA!
FLIP FLIP
ちら ちら
TSK.
ESTAS COSAS ME PONEN NERVIOSO.
ZAS
¡QUÉ GUAY!
¡CÓMO MOLA!
ZAS ZAS ZAS
ME PREGUNTO SI YO TAMBIÉN SERÍA CAPAZ...
...DE BOXEAR.

YO...
YO TAMBIÉN QUIERO APRENDER A BOXEAR.
FLIP ちら...
BOXING
¡PUES CLARO! ¡¡A UN DEBILUCHO COMO TÚ LE VENDRÍA DE PERLAS!!
PAF
PUEDES VENIR AL GIMNASIO A APRENDER CUANDO QUIERAS.
ÚLTIMAMENTE MUCHOS VIENEN AL GIMNASIO SOLO PARA HACER DEPORTE Y PONERSE EN FORMA.
NO SERÍA NADA RARO QUE TÚ PRACTICARAS BOXEO.
NO... NO ME REFIERO A ESO.
TAMBIÉN ME GUSTARÍA SUBIRME AL RING.
¿CO...?
¿COMO PROFESIONAL?
CLARO QUE ASÍ DE REPENTE SERÍA IMPOSIBLE, PERO...
...TÚ ME DIJISTE QUE LO LLEVABA EN LAS VENAS.

SI TYSON PUDO CAMBIAR, YO TAMBIÉN QUIERO HACERLO.
¡AH!
NUG
NO ME JODAS.
SI CREES QUE PUEDES CONVERTIRTE EN UN PROFESIONAL PORQUE DE REPENTE TE APETEZCA ESTÁS MUY EQUIVOCADO.
NO ES ESO. LO HE PENSADO SERIAMENTE Y...
ALGUIEN COMO TÚ QUE SIEMPRE ACABA APALEADO NO PODRÍA SER UN BOXEADOR.
¡¡EL MUNDO DEL BOXEO NO ES TAN BLANDO!!
PE... PERO TYSON TAMBIÉN...
¡¡NO TE COMPARES CON TYSON!!
YO... LO HE PENSADO LARGO Y TENDIDO.
HE DECIDIDO QUE QUIERO HACER BOXEO, EN SERIO.
YO TAMBIÉN QUIERO SER FUERTE COMO TÚ.
QUIERO CAMBIAR IGUAL QUE LO HIZO TYSON.

TAKA-MU-RA...
¿CÓMO...?
¿...ES SER ALGUIEN FUERTE?
TSK, ESTÁ BIEN. ¡¡PRESTA ATENCIÓN!!
PATAF
FAAS
ZRAS ZRAS ZRAS ZRAS ZRAS ZRAS ZRAS ZRAS
ÑUG...
GLUCS
ゴクリ…
FUUU>...

ZUM
¡UOH!
¿PUEDES HACER ESTO?
ぎゅっ...
ÑUUG
¿EH?
¿EH?
ヒュウウウウウ...
FIUUUM
¿EH...?
FAS
しゅたっ
¡UOOH!
HMPF.
ガサッ
ZASC

DE ENTRE TODOS LOS DEL GIMNASIO YO SOY EL MÁS RÁPIDO.
NO VOY A PEDIRTE QUE HAGAS LO MISMO QUE YO.
ばら ばら
FLAP FLAP
PERO TENDRÁS QUE SER CAPAZ DE ATRAPAR DIEZ HOJAS DENTRO DE UNA SEMANA.
SI LO CONSIGUES, TE ENSEÑARÉ A SER UN BOXEADOR.
ZAS...
¿¡DIEZ HOJAS!?
POR MUCHO QUE SEA MI CULPA QUE SE LE HAYA METIDO ESA IDEA EN LA CABEZA...
...ANDA QUE QUERER CONVERTIRSE EN BOXEADOR PROFESIONAL...
TAP TAP TAP
EL PUÑETAZO DEL OTRO DÍA ME SORPRENDIÓ, LO ADMITO. PERO CON ESA PERSONALIDAD NO PODRÁ SER BOXEADOR.
LO MEJOR PARA ÉL ES HACER QUE SE RINDA.
PAS
ぱしっ!!
...
PERO SI ES MÁS FÁCIL DE LO QUE PARECE.
INCLUSO PUEDE QUE CONSIGA COGER LAS DIEZ HOJAS.
JA JA

HM... CIERRO LOS CODOS, LOS PUÑOS A LA ALTURA DE LOS OJOS...
LISTO..
ぱしっ
PAS
¡¡UNA!!
FAS
¡¡OTRA MÁS!!
PAF
¡AH!
FLAP
FLAP
¡¡CUANDO ABRO LA MANO PARA COGER LA SEGUNDA HOJA LA PRIMERA SE CAE!!
MIER-DA...
¡TOMA!
FAS
FAS
¡UOH!
¡AAGH!
¡TOMA!
...
...
FAS FAS FAS
FAS FAS FAS FAS
ARF... ARF... ARF...
ARF... ARF... ARF...
はぁ はぁ はぁ はぁ はぁ はぁ
ESTO ES MÁS DURO DE LO QUE PENSABA...

¡SH!
¡SH!
¡SH!
FAS FAS FAS
FAS
PLIC
¡AGH! ¡CASI!
TENGO QUE AGARRARLAS EN EL INSTANTE EN QUE MI PUÑO LAS VA A TOCAR.
TENGO QUE MEJORAR EL GIRO DE MUÑECA.
TIENE QUE SER MÁS RÁPIDO.
PAS
ÑUG
FAS FAS FAS
FAS FAS
GIRO DE MUÑECA...
FAS FAS
FAS
¡MÁS RÁPIDO!
FAS
FAS
¡MÁS!

FAS
FAS
PAS
PAS
BRRR
BRRR
LO...
¡LO HE
HECHO!
BRRR
BRRR
BRRR
BRRR
BRRR
¡ESTOY
PRO-
GRE-
SANDO!
PTO
PTO
BARCOS DE PESCA MAKUNOUCHI
ARF...
ARF...
ARF...
ARF...
ARF...
RAAAS
RAAAS
FS
FS
¿HM?
¿MAMÁ?

¡ES VERDAD! ¡HOY POR LA MAÑANA TENÍAMOS TRABAJO!
SE ME HABÍA OLVIDADO POR COMPLETO...
とん とん とん
TAP TAP TAP
¡OOOH!
¡QUÉ DESAYUNO MÁS LUJOSO!
ばっ
PAS
Para Ippo:
No sé qué es lo que te tiene
absorto últimamente, pero
verte contento me hace muy
feliz. No te preocupes por
el trabajo, ¿vale? ¡Yo
todavía soy muy joven!
Esfuérzate mucho y no
te rindas.
Mamá
かさ…
FLAP
...
NO SÉ QUÉ ES LO QUE TE TIENE ABSORTO ÚLTIMAMENTE, PERO VERTE CONTENTO ME HACE MUY FELIZ.
NO TE PREOCUPES POR EL TRABAJO, ¿VALE? ¡YO TODAVÍA SOY MUY JOVEN!
ESFUÉRZATE MUCHO Y NO TE RINDAS.
MAMÁ...

¡QUÉ RICO!
¡UNA! ¡DOS!
¡TRES!
¡CUA-TRO!
¡LA QUIN-TA!
PAS
PAS
PAS PAS
PAS
AGH...
ZAS
FLIP
UGH...
AL LLEGAR A LA QUIN-TA HOJA MI VELOCIDAD BAJA Y YA NO PUEDO SEGUIR.
CUANDO AMANEZCA HABRÁ PA-SADO UNA SEMANA...
APROVE-CHARÉ HASTA EL ÚLTIMO MINUTO...
ÑUG
FAS FAS
FAS FAS

はぁ はぁ はぁ はぁ はぁ
ARF... ARF... ARF... ARF... ARF... ARF...
ESTO VA MAL...
¿SERÁ QUE ALGUIEN COMO YO NO PUEDE CONSEGUIRLO?
FLOP FLOP
ずる ずる
ARF... ARF... ARF... ARF... ARF... ARF... ARF...
はぁ はぁ はぁ はぁ はぁ はぁ はぁ
TYSON RENACIÓ, PERO...
...QUIZÁ HAGA FALTA TALENTO PARA ESO.
FLIIIP
FLIP FLIP
ぶるーっ
SI ME RINDO AHORA SEGUIRÁN METIÉNDOSE CONMIGO PARA SIEMPRE.
¡¡NO TIRES LA TOALLA!!
PAF
¡¡YO TAMBIÉN VOY A RENACER!!

¡MALDICIÓN! ¿QUÉ PUEDO HACER?
FAS FAS FAS
ZUM
FAS
ÉL HACÍA UN SONIDO TOTALMENTE DISTINTO...
SEGURO QUE SUS GOLPES ERAN MUCHO MÁS RÁPIDOS...
¡EL SONIDO!
SI CONSIGO SACAR ESE SONIDO...
FIUM
FAS
FAS
¡MALDICIÓN!
FIUM FIUM
FAS
FAS FAS FAS
FIUM
FIUM

¡¡NO CONSIGO QUE SUENE IGUAL!!
PATAF
¿CUÁL ES LA DIFEREN-CIA?
ÉL LO HACÍA SIN NINGÚN ESFUER-ZO...
はぁ はぁ はぁ
ARF... ARF... ARF...
はぁ はぁ
ARF... ARF...
FIU
SIN NINGÚN ESFUER-ZO...
PAS
A... AHORA QUE LO PIENSO...
...SUS PU-ÑOS ESTABAN RELAJADOS ANTES DE GOLPEAR.

...
FIU
ZUM
FAS
¿¡HM!?
UN POCO MÁS.
¡NO ME PIENSO RENDIR!

TAP TAP TAP
FAS FAS FAS
TAP TAP
HOLA.
FAS
TE ESTABA ESPERANDO, TAKAMURA.
AH, ERES TÚ.
¿ME ESTABAS ESPERANDO? ¿QUÉ QUIERES?

VENGA YA...
HOY HACE UNA SEMANA DE AQUELLO QUE ME DIJISTE, ¿RECUERDAS?
!
PERO SI ESTÁS EMPAPADO EN SUDOR...
¿CUÁNTO TIEMPO LLEVAS AQUÍ?
JA, JA...
ESTOY EXHAUSTO, ASÍ QUE SOLO PODRÉ HACERLO UNA VEZ...
TOMP

PRESTA ATENCIÓN, POR FAVOR...
FS FS FS FS FS FS
...
ÑUG ÑUG
TEKE

¡¡UOOH!!
ZUM
PAF
PAF
PAF
ZUM
PAF

PAF
PAF
PAF
PAF
PAF
¡SH!
PAF
はぁ はぁ はぁ はぁ、はぁ はぁ はぁ
ARF... ARF... ARF... ARF... ARF... ARF... ARF...
...
FIUUUM
ヒョオォォォ...

¡LO...!
¡LO HE CONSEGUIDO!
¡MIRA! ¡MIRA! ¡HAY DIEZ HOJAS!
¡SÍ! ¡LO HE CONSEGUIDO! ¡LO HE CONSEGUIDO!
EN REALIDAD ESTABA MUY NERVIOSO. MENOS MAL QUE HA SALIDO BIEN.
¡YUJU! ¡QUÉ BIEN! ¡QUÉ BIEN!

NO... NO PUEDE SER...
¿CÓMO LO HAS HECHO?
PAM
ENTONCES HE APROBADO, ¿VERDAD? AHORA PODRÉ SER BOXEADOR.
HAY QUE MANTENER LOS PUÑOS CERRADOS SIN APRETAR FUERTE Y GIRAR LA MUÑECA CUANDO EL PUÑO CHOCA CON LA HOJA.
¡¡SI SE CIERRA EL PUÑO CON FUERZA LA VELOCIDAD DISMINUYE!!
ESE ES EL TRUCO, ¿VERDAD?
TSK, NO ME QUEDA MÁS REMEDIO.
HAS SIDO MUY HÁBIL DÁNDOTE CUENTA.
¡TIENES UN BUEN JAB!
JE...
¡!
¿¡JAB!?

¡¡CON-QUE ESTO ES...!!
¡¡...UN JAB!!
TEKE TEKE
¡JAB!
FIUM
¡JAB!
FIUM FIUM
¡JAB!
FIUM
¡¡JAB!!
¡¡UOOH!!
FAS
FIUM
FIUM
FIUM FIUM
FIUM
FAS
MENUDO TIPO... YO ME REFERÍA A COGER DIEZ HOJAS CON LAS DOS MANOS.
FIUM
Y ÉL LO HA CONSEGUIDO SOLO CON LA MANO IZQUIERDA.
FIUM
ES UN TIPO UN POCO RARO, PERO...
...PODRÍA CONVER-TIRSE EN UN BOXEA-DOR INTE-RESANTE.
JE, JE...

VENGA, GOLPEA AQUÍ.
FIU
VO...
¡VOY!
PAF
¡¡SH!!
¡ESO ES! ¡BUEN GOLPE!
PAF PAF
¡SH!
¡SH!
¡SH!
MUY BIEN, MUY BIEN.
PAF
¡VOY A ESFORZARME AL MÁXIMO!
¡VOY A CONVERTIRME EN BOXEADOR PROFESIONAL!
FIUM
¡OYE!
FIUM
¡PARA!

¡ESPERA UN MOMENTO!
¡UAAAAH!
PAF
PAF
PAF
PAF
PAF
PAF
~~~~
PONC
¡¡NO TE PASES DE LISTO!!
...
ESPÉRAME, POR FAVOR.
¡¡TAKAMURA!!
¡¡NO ME SIGAS!!
...
...
~~~~

HAJIME NO IPPO

Asalto 2: Estrategia tortuga

¡UUOOOH!
PRESIDENTE, ¿ESTÁ VIENDO UN COMBATE ENTRE LEONARD Y HEARNS?
¡UAAH!
¡UAAH!
OH, YAGI, ERES TÚ.
...
EL MUNDO SIGUE TAN ANIMADO COMO SIEMPRE.
ふんっ
HMPF...
UN COMBATE ENTRE SUPERCAMPEONES ES EL SUEÑO DE CUALQUIERA.
¡QUÉ ENVIDIA!
COMO GERENTE DEL GIMNASIO, ME GUSTARÍA EXPERIMENTAR ALGO ASÍ AL MENOS UNA VEZ.
ES ENVIDIABLE, EN SU PAÍS HAY AUTÉNTICOS HÉROES.
EN EL JAPÓN DE ANTAÑO TAMBIÉN TENÍAMOS HÉROES QUE LE HACÍAN A UNO SOÑAR A LO GRANDE.
¡UUUAH!
¡UUUAH!

¡YA HAN PASADO VEINTE AÑOS DESDE QUE ABRÍ ESTE GIMNASIO! ¡HEMOS TENIDO DOS CAMPEONES NACIONALES Y UN CAMPEÓN DE ASIA...!
¡...PERO NINGÚN RETADOR A NIVEL MUNDIAL!
¡¡SI ME MUERO ASÍ NO VOY A PODER DESCANSAR EN PAZ!!
GIMNASIO DE BOXEO KAMOGAWA
TENEMOS A TAKAMURA, ¿NO LE PARECE?
¡HM!
¡ESE CHICO LO VALE! ¡TIENE UN BUEN FÍSICO Y MUCHO TALENTO!
¡ÉL SERÁ NUESTRA GALLINA DE LOS HUEVOS DE ORO!
PUES VERÁ, TAKAMURA...
¿CÓMO DICES?
¿HA TRAÍDO A UN NUEVO ASPIRANTE A PROFESIONAL?
EJEM.
EH... OS LO PRESENTO.
BR BR
BR BR
BR BR
PAF
DESDE HOY, ESTE CHAVAL...
BLA
BLA
BLA
EH...
HM...
BR
BR
BR

¡PRESIDENTE! JUSTO A TIEMPO.
ES ESTE CHICO...
HO... HOLA.
YA LO HE OÍDO.
¡¡VEN UN MOMENTO!!
¡ESO DUELE! ¿QUÉ PASA?
COMO TÚ MISMO LO HABÍAS RECOMENDADO TENÍA ESPERANZAS, PERO ¿QUÉ ES ESO?
NO SIENTO NINGÚN ESPÍRITU DE LUCHA EN ÉL.
PLOC PLOC
YO TAMPOCO.
¿¡ACASO TE HAS VUELTO LOCO O QUÉ!?
SI NO TIENE POSIBILIDADES DE GANAR, ENTONCES NO LO QUIERO.
CLINC
PAM PAM PAM PAM PAM
ESO NO...
NO LO SABREMOS SI NO LO INTENTAMOS.
HMMM...
VEO QUE CONFÍAS BASTANTE EN EL CHICO.
¿ENTONCES POR QUÉ NO LO PONEMOS A PRUEBA?
¿CÓMO?

YO NO CREO QUE ESE CHICO ESTÉ HECHO PARA EL BOXEO.
ASÍ QUE, PRIMERO, ¡QUE MUESTRE DE LO QUE ES CAPAZ!
¿QUÉ LE HARÁS HACER?
ZAS
¡UN SPARRING!
E... ES UN NOVATO...
EL BOXEO ES UN DEPORTE PELIGROSO DONDE UN PASO EN FALSO PUEDE COSTARTE LA VIDA.
SI NO ESTÁ HECHO PARA ESTO, LO MEJOR ES QUE SE OLVIDE DE BOXEAR.
TSK. ¡VEN AQUÍ!
¡AY! ¡AY!
ÑIC
VESTUARIO
更衣室
EH... ¿QUÉ ES UN SPARRING?
ES UN COMBATE DE PRÁCTICA.
JE, JE. UN COMBATE, ¿EH?
Y VAS A PELEAR TÚ.
JE...

ES... ¿ESTÁS DE BROMA? ¡ESO ES IMPOSIBLE!
¡¡NO TE PONGAS A PATALEAR!!
NADIE ESPERA QUE GANES.
SOLO TIENES QUE MOSTRAR QUE TIENES POTENCIAL.
¡HMPF! POR MUCHO QUE SEA UN ENTRENAMIENTO, SI HACE EL RIDÍCULO, LO MANDARÉ PARA CASA DE INMEDIATO.
¿ENTENDIDO?
CÁLLATE, VIEJO.
NO ME PUEDEN ECHAR.
VOY A CONVERTIRME EN UN BOXEADOR PROFESIONAL.
TEKE TEKE TEKE
TEKE TEKE
¡TENDRÉ QUE HACERLO LO MEJOR POSIBLE!
¡¡YA ESTÁ LISTO!!
BLAM
BR BR BR
BR BR BR

¿Y BIEN? ¿QUIÉN SERÁ SU OPONENTE?
¿HM?
¿¡MI-YATA!?
AUNQUE PUEDE QUE YO NO SEA LO BASTANTE BUENO.
JE...
¡HMPF! YA VEO. LA COSA SE PONE INTE-RESANTE.

¿ÉL... ES BUENO?
PARA SERTE SINCERO, LO ES.
TODAVÍA TIENE 16 AÑOS, ASÍ QUE NO TIENE LICENCIA COMO PROFESIONAL, PERO...
...ES MUCHO MÁS HÁBIL QUE CUALQUIER PÚGIL DE CUATRO ASALTOS.
LA LICENCIA DE BOXEADOR PROFESIONAL SOLO SE PUEDE OBTENER A PARTIR DE LOS 17 AÑOS.
SE ESPECIALIZA EN EL KNOCK OUT.
SU PADRE, QUE FUE BOXEADOR PROFESIONAL EN SU DÍA, LE HA ENSEÑADO TODO LO QUE SABE.
ES UNA ESPECIE DE ÉLITE DEL BOXEO.
TI... TIENE LA MISMA EDAD QUE YO.
TEKE TEKE TEKE
¡¡UTILIZAREMOS LAS NORMAS DE UN COMBATE OFICIAL!!
¡CUATRO ASALTOS Y TRES KNOCK DOWN!
¿TRES KNOCK DOWN?
SI CAES AL SUELO TRES VECES EN UN ASALTO, PIERDES.
¡VAMOS A EMPEZAR!
GLUCS
びくっ

TOMA, MÉTETE ESTO EN LA BOCA.
¡ESCUCHA! EN EL PRIMER ASALTO USA EL JAB Y...
BOQUILLA
TEKE TEKE TEKE TEKE TEKE TEKE TEKE TEKE
ガチ ガチ ガチ ガチ ガチ ガチ
ES INÚTIL. LE DIGA LO QUE LE DIGA NO ME VA A ESCUCHAR.
¿CÓMO PUEDO HACER QUE MUESTRE SUS HABILIDADES CONTRA MIYATA EN ESE ESTADO?
HM...
¿QUÉ...?
FLIP FLIP FLIP
すり すり すり
¡UAGH!
MAMA
PLOM
UGH... PERO ¿QUÉ HACES?
¡NADA MAL! SE NOTA QUE TE HAS ESTADO ENTRENANDO.
CLA... ¡CLARO! DESDE ENTONCES...
...HE ESTADO HACIENDO LOS EJERCICIOS QUE ME ENSEÑASTE TODO ESTE MES.

HM...
¡YA SÉ! EN EL PRIMER ASALTO LIMÍTATE A ENDURECER LA GUARDIA Y AGUANTA.
PASE LO QUE PASE, NO BAJES LA GUARDIA. SI SIGUES DE PIE CUANDO ACABE EL PRIMER ASALTO, TE DARÉ MÁS INSTRUCCIONES.
¡LO LLAMAREMOS "LA ESTRATEGIA TORTUGA"!
DIIING
TEKE TEKE TEKE TEKE TEKE TEKE TEKE TEKE
EH... LA GUARDIA, LA GUARDIA...
PERO SI ES UN COMPLETO NOVATO.
MENUDA BROMA.
¡EMPIEZA DE UNA VEZ! ¿QUÉ CLASE DE BOXEO ES ESTE?
HM...
YA VOY, YA VOY.

BUENO...
VAMOS A EMPEZAR POCO A POCO.
FAAAS
ZAS
ZAS
ZAS
ZAS
ZAS
UGH...
PAF PAF
PATAF PAF
PAF
ZAS ZAS ZAS
PAF PAF PAF
¡AGH!
¡UGH!
¡UUUGH!
PAF PAF PAF
ZAS
ZAS ZAS
COMO SIEMPRE, EL JUEGO DE PIERNAS DE ICHIRÔ ES FANTÁSTICO.
UN NOVATO CON SEMEJANTE JUEGO DE PIERNAS NO SE ENCUENTRA FÁCILMENTE.
NO PUEDO ESPERAR A SU DEBUT.
ALGÚN DÍA SERÁ LA ESTRELLA DEL GIMNASIO JUNTO CON TAKAMURA.
PAF PAF
PRESIDENTE, NO ME DIGA ESO, POR FAVOR.
TODAVÍA NO SERÍA CAPAZ DE HACER FRENTE A BOXEADORES DE ÉLITE.

GH_
GH_
FAS FAS FAS
FAS FAS
FIU
YA VEO_ CONQUE HA ELEVADO SU GUARDIA PARA EVITAR QUE LO GOLPEE EN LA CARA_
QUÉ ILUSO_
SOLUCIONAR ESTO ES PAN COMIDO_
BAM
BAM BAM

!
HA DEJADO DE APUNTAR A LA CABEZA_
ESE MIYATA--- SE NOTA QUE ENTIENDE DE BOXEO_
UGH---
FLAP
SERÁ IDIOTA---
HMPF---

AGH...
BADUM
AL GOLPEARLO EN EL ABDOMEN HA CONSEGUIDO QUE BAJE LA GUARDIA.
ES DE LO MÁS BÁSICO EN BOXEO.
¡UNO!
¡DOS!
¡TRES!
¡HMPF! ¿ESO ES TODO?
QUÉ... QUÉ ASTUTO.
ÑUG...
YA ENTIENDO. ME ESTABA GOLPEANDO EN LA TRIPA PARA QUE BAJASE LA GUARDIA Y PODER DARME EN LA CARA.
PLIC
ES... INCREÍBLE.
NO PUEDO CREER QUE TENGAMOS LA MISMA EDAD.
ARF... ARF...
ARF... ARF... ARF...
AGH...
DE... DEBO TENER CUIDADO.
ARF... ARF... ARF... ARF... ARF... ARF... ARF...
UGH...
OH. SE HA LEVANTADO.
ES BASTANTE RESISTENTE.

ARF...
ARF ...
BAM BAM
...
BAM BAM
SE-RÁS...
ZAS
¡UAGH!
BAAM
CÓ... CÓMO DUELE...
ARF...
POR MUCHO QUE TENGA CUIDADO, ME ACABA DANDO.
ARF... ARF...
はあ はあ
PLAF
¡¡IDIOTA!! ¡¡TE HE DICHO QUE NO BAJARAS LA GUARDIA!!
POR MUCHO QUE DIGAS ESO...
UGH...

¡DEMUES-TRA QUE TIENES AGALLAS!
¡¡IDIOTA!! ¿¡ACASO TE DA IGUAL NO PODER CON-VERTIRTE EN BOXEADOR!?
ME LO TEMÍA. METERME DE CABEZA EN UN COMBATE ERA MUCHO PEDIR.
FUOF
AH... ESTO VA MAL.
PLONC
¿VAS A TIRAR POR LA BORDA TODO EL ESFUER-ZO QUE TE COSTÓ CO-GER LAS DIEZ HOJAS?
¿¡O ES QUE ESTA ES TODA TU DE-TERMINA-CIÓN?
PLIC
TI... TIENE RAZÓN. TENGO QUE ESFOR-ZARME.
ARF... ARF... ARF... ARF... ARF...
DE ESTE COMBATE DEPENDE QUE PUEDA CON-VERTIRME EN UN BOXEA-DOR PRO-FESIONAL.
NGH...
SO... SOLO ES LA SEGUN-DA VEZ.
SE PUEDE CAER AL SUELO HASTA DOS VECES, ¿NO?
...
UGH... UGH... UGH...
¡HA VUELTO A LE-VANTAR-SE!

LO SIENTO, PERO AQUÍ VA LA TERCERA...
ZAS
UGH...
BAM BAM BAM BAM BAM BAM
MENUDOS GOLPES...
ESO NO HAY QUIEN LO AGUANTE...
BAM BAM BAM BAM BAM
IDIOTA...
LO HA VUELTO A ARRINCONAR...
¡¡YA NO PUEDES CAER AL SUELO!! ¡¡USA LAS PIERNAS!!
¡¡ESCAPA!!
BAM BAM BAM BAM BAM BAM BAM BAM BAM
LAS... ¿¡LAS PIERNAS!?
TAP TAP TAP TAP TAP
TAP TAP TAP
TAP TAP TAP
PERO ¿QUÉ TE PASA? ¿NO PUEDES HACERLO MEJOR?
ZAS
PFT...
ES QUE NO ME HAS ENSEÑADO.
TAP TAP TAP

CHAN
JE
¿DE VERDAD PRETENDES HUIR DE MÍ CON ESOS MOVIMIENTOS TAN TORPES?
FIUM
TAP TAP
¡UAAAH!
CHAN
¡¡TE TENGO!!
FIUM
BAM BAM BAM BAM BAM BAM BAM
BAM
NNGH...
BAM
TE DUELE, ¿VERDAD? VAMOS, BAJA LA GUARDIA...
BAM
BAM
TE MANDARÉ A DORMIR EN UN SEGUNDO...
BAM
¡DE ESO NI HABLAR!
POR MUCHO QUE ME DUELA, TENGO QUE SOPORTARLO...
BAM
BAM
SÍ QUE ES PERSISTENTE...
ESTA VEZ NO BAJA LA GUARDIA...
BAM
BAM BAM

¡SOLO QUEDA UN MINUTO!
MIYATA NO SE LO ESTÁ TOMANDO EN SERIO Y NO ESTÁ USANDO LA DERECHA.
SE HA FORTALECIDO EL CUERPO, AUNQUE SEA UN POCO.
MIENTRAS SOLO USE LA IZQUIERDA, PODRÁ SOPORTARLO. ¡AGUANTA!
SIGUE SIN VENCERLO DESPUÉS DE TODOS LOS GOLPES QUE LE HA DADO.
VAYA PUÑETAZOS MÁS FLOJOS.
PLIC
GRRR
¡QUÉ ESPECTADORES MÁS PESADOS!
ÑUG
ÑUG
ÑUG
ÑUUUG
¡¡MIERDA!! ¡¡LA DERECHA!!

BR BR BR BR BR BR
BR BR BR BR BR BR BR
PLOF
¡BUEN GOLPE!
¡ESO ES!
LE HA DADO DE LLENO...
JE...

¡UUUGH!
¿¡EEEEH!?
TAP-TAP TAP TAP TAP TAP TAP TAP
HA... ¡HA RESISTIDO EL GOLPE!
¿CÓ...?
¿CÓMO ES POSIBLE?
ARF... ARF...
はぁ はぁ
UUUGH...
ARF... ARF... ARF...
ARF... ARF...
NGH...
ずず…
UUGH...
ARF... ARF... ARF...

Asalto 3: Posición de combate

UUUGH.
UUUGH.
ARF... ARF...
ARF... ARF...
ARF...
BLA BLA
BLA
...
MIYATA LE HA DADO CON LA DERECHA...
...Y AUN ASÍ SIGUE EN PIE.
BLA
BLA
¿CÓ...?
¡MALDICIÓN!
...
PLOC
PLOF PLOF PLOF PLOF PLOF
¿¡QUÉ TAL ESTO!?
BAM

TAP TAP
TAP TAP
TAP TAP
TAP
¡OOOOH!
NNGH...
¡MIERDA!
FIUM
¿ES QUE SU CUERPO ES EXTREMADAMENTE RESISTENTE?
CÓ... ¿CÓMO ES POSIBLE?
¡HA SONADO LA CAMPANA!
¡JA, JA, JA!
¡HAS AGUANTADO MUY BIEN!
DIIING
ME... MENOS MAL.

AL FINAL SE LAS HA APAÑADO PARA AGUANTAR...
NO ME LO PUEDO CREER...
...
¡ICHIRÔ! ¿EN QUÉ ESTABAS PENSANDO? ¿ACASO NO TE HE DICHO QUE NO TE CONTUVIERAS?
¡EL PRESIDENTE ESTÁ MIRANDO!
VE Y GOLPÉALO COMO A UN SACO DE BOXEO...
ÉL NO VA A LANZAR NINGÚN GOLPE...
YO NO ESTARÍA TAN SEGURO...
TIENE AL AGRESIVO TAKAMURA HACIÉNDOLE DE ESQUINA...
¡ES INCREÍBLE!
¿LO HAS VISTO? TE GOLPEA EN LA TRIPA PARA LUEGO DARTE EN LA CARA...
ARF... ARF... ARF... ARF...
ARF... ARF... ARF...
ARF... ARF...
¿ES ESTO A LO QUE LLAMAN UNA COMBINACIÓN?
ARF...
ES SORPRENDENTE DE LO QUE ES CAPAZ CON LA MISMA EDAD QUE YO...
ARF... ARF...
¡IDIOTA! ¡ESO ES LO BÁSICO!
ゴン!!
PONC
¡AY!

OYE, ¿Y CÓMO ES QUE ERES TAN RESISTENTE?
NO ME DIGAS QUE COMO SIEMPRE SE ESTABAN METIENDO CONTIGO YA NO TE DUELE POR MUCHO QUE TE PEGUEN.
¡JA, JA, JA!
NO ESTOY SEGURO.
QUIZÁ SEA GRACIAS A LOS EJERCICIOS QUE ME ENSEÑÓ TAKAMURA.
PUEDE QUE FUERA BUENA IDEA HACERLO EL TRIPLE DE VECES DE LAS QUE ME MANDÓ.
EN CUALQUIER CASO, LA ESTRATEGIA TORTUGA HA SIDO UN ÉXITO.
HAS AGUANTADO UN ASALTO CONTRA MIYATA, DESPUÉS DE TODO.
AUNQUE LLEVEMOS PUESTOS LOS GUANTES DE PRÁCTICA, DUELE BASTANTE.
TODAVÍA ME SIENTO ALGO MAREADO.
PUES HABLAS MUCHO PARA ESTAR MAREADO.
ES VERDAD. ES QUE...
¡...HE HECHO UN GRAN DESCUBRIMIENTO!
ARF... はぁ
ARF... ARF... はぁ はぁ
ME DUELE, PERO...
...AL MISMO TIEMPO NO.
?
¿QUÉ QUIERES DECIR?

CUANDO SE METÍAN CONMIGO...
...MÁS QUE DOLERME FÍSICAMENTE ME DOLÍA EL SENTIRME TAN PATÉTICO.
SIN EMBARGO AHORA...
...ME SIENTO CAPAZ DE VOLVER A LEVANTARME SIN IMPORTAR CUÁNTO ME GOLPEEN.
ME PREGUNTO SI APUNTARÍA MAL AL GOLPEARLE...
ÑAC ÑAC
ÑAC ÑAC ÑAC
¿CÓMO TE SIENTES? ¿PUEDES CAMINAR?
S... SÍ. MÁS O MENOS.
TAP TAP
¡MUY BIEN!
JE.
A PARTIR DEL SEGUNDO ASALTO NOSOTROS TAMBIÉN ATACAREMOS.
¿¡EH!?
PE... PERO YO NUNCA LE HE PEGADO A NADIE.
NO SÉ CÓMO HACERLO...

¡ESCUCHA! CORRIENDO COMO ANTES NO ATRAPARÁS A MIYATA.
TIENES QUE MOVERTE DESLIZANDO LAS PIERNAS.
¡VALE!
RAS RAS
すり すり
¡EL JAB!
¡AH!
¡PERO SI TE ENSEÑÉ, IDIOTA!
SABES CUÁL ES TU ALCANCE, ¿VERDAD? ES LA DISTANCIA A LA QUE COGISTE LAS HOJAS.
¡SI PUEDES, USA TAMBIÉN LA DERECHA!
¡¡SÍ!!
YA VEREMOS QUIÉN ESTÁ LOCO AQUÍ.
DIIING
!
¡OH!

ÑUG...
くっ...
PUÑOS A LA ALTURA DE LOS OJOS...
EH... CERRAR LOS CODOS...
ぶぶぶ
BS BS BS
ぶぶ
BS BS
OH... SE HA PUESTO EN POSICIÓN DE COMBATE.
DESLIZAR LAS PIERNAS...
ぶぶぶぶ
BS BS BS BS BS
ススス
RAAAS
NO OLVIDES LA SENSACIÓN DE CUANDO COGISTE LAS DIEZ HOJAS.
¡ESO ES! ¡ESO ES!
ぶぶ
BS BS
すすす
RAAAS
RAS
すっ

RAS RAS RAS RAS RAS
¡NO TE ACOBARDES, ICHIRÔ!
¡ESA POSE NO ES MÁS QUE UN FAROL!
NO SÉ YO...
A ESTA DISTANCIA TODAVÍA NO PUEDO COGER UNA HOJA.
RAS
TODAVÍA NO ESTÁ DENTRO DE MI ALCANCE.
BS BS BS
RAS RAS
UN POCO MÁS...
NO VOY A CONSEGUIR NADA QUEDÁNDOME QUIETO.
¡¡VEAMOS QUÉ ES LO QUE TIENES PREPARADO!!
ZAS
TAN
¡¡HA ENTRADO!!
PLIC

GLUCS
FUM
NGH.
¡AH!
¿¡UNOS JAB!?
POM POM POM POM POM
¿CÓ...?
POM POM POM POM POM POM POM POM
¡JAB! ¡¡JAB!!
NO ESTÁ NADA MAL.
ZAS
¡OOOH!

¡NGH! ¡NGH!
UPS.
FIUUM
FIUM FIUM FIUM FIUM
UPS.
FAS
¡GUAU! QUÉ JAB MÁS RÁPIDO. ¡Y AUN ASÍ LO ESTÁ ESQUIVANDO!
¿DE VERDAD SON BOXEADORES SIN LICENCIA?
¿ACASO NO ERA UN COMPLETO NOVATO?
¡¡ES MUY RÁPIDO!!
¡QUÉ GOLPES MÁS RÁPIDOS! DEBE HABER ENTRENADO MUCHO LAS MUÑECAS.
HUBIERA SIDO UN ARMA MUY ÚTIL CONTRA CUALQUIER OTRA PERSONA.
FIUM FIUM
ES UNA PENA QUE TU OPONENTE SEA YO.
NO ME VOY A DEJAR GOLPEAR TAN FÁCILMENTE.
ZAS
FIUUUM
ZAS

PAM
FIUM
TSK.
LO TIENES ARRINCONADO.
¡USA LA DERECHA!
¡ST!
BUOM
ZAS
UOH.
¡AH!
¡AH!
ROLONC
ROLONC
ROLONC
ごろごろごろーーっ!!
...
はあ
はあ
ARF...
ARF...

PERO ¿QUÉ NARICES...?
EH...
¡YA ENTIENDO!
NO SABE HACER NADA A PARTE DEL JAB.
ESO DUELE...
TOMP TOMP TOMP TOMP TOMP
TOMP TOMP TOMP
¡¡IDIOTA!! ¡NO HAGAS MOVIMIENTOS TAN AMPLIOS!
¡TE ENSEÑÉ A GOLPEAR UN *CROSS*, ¿RECUERDAS?!
¿EEEEH?
¿¡ES QUE TE HAS OLVIDADO!?
¡PERO SI TE HICE GOLPEAR EL SACO DE BOXEO!
¡AH!
¡SE REFIERE A AQUELLO!
BAM
HAY QUE CERRAR LOS CODOS COMO EN EL JAB...
LO IMPORTANTE ERA DAR UN PASO ADELANTE Y METER LA CADERA...
BS BS
BS BS BS BS
ARF... ARF...
ARF...

AHÍ VA OTRA VEZ.
BS BS
BS BS BS
RAS RAS
¡NGH!
FIUM FIUM
UPS.
FIUM
FIUM FIUM
FAM
OTRA VEZ LA MISMA SITUACIÓN...
MIERDA. ¿POR QUÉ NO CONSIGO DARLE?
FIUM FIUM FIUM FIUM FIUM
PAF
TAP TAP
ESE MIYATA... EN LO QUE A DEFENSA SE REFIERE, PROBABLEMENTE SEA MEJOR QUE YO.
FIUM
ARF... ARF...
FIUM

EMPIEZA A COSTARLE RESPIRAR.
ESTO NO ES BUENO.
FIUM FIUM
NO ME EXTRAÑA, DESPUÉS DE LANZAR TANTOS GOLPES AL AIRE... PERO EL QUE MÁS RESISTA GANA. NO TE RINDAS, IPPO.
¡ARF! ¡ARF! MI BRAZO...
...ME PESA MUCHO.
FIUM
QUÉ PESADO. ADMITO QUE TIENES UN BUEN JAB.
PERO ACABARÁS BAJANDO EL RITMO TARDE O TEMPRANO.
FIUM FIUM
ARF. ARF.
ME PESA MUCHÍSIMO.
ARF... ARF... ARF... ARF...
ARF... ARF... ARF... ARF...
はぁ はぁ はぁ はぁ はぁ はぁ
TAL Y COMO PREDIJE.
ES UNA PENA, PERO TE HAS QUEDADO SIN TU ÚNICA ARMA.
BUENO, ENTONCES AHORA ES MI TURNO DE ATACAR.
ZAS
ME PESA MUCHO, PERO...
JU...

¡...NO PUEDO PARAR AHORA!
CÓ... ¿¡CÓMO!?
PAF PAF
PAF
PAF PAF
NO PUEDE SER. ¿AÚN TIENE FUERZAS PARA SEGUIR?
QUÉ RESISTENCIA TAN INCREÍBLE...
¡UGH!
FIUM
PAF
ESE MIYATA... ESTÁ NERVIOSO PORQUE SU PREDICCIÓN HA FALLADO.
JE.
¡ES NUESTRA OPORTUNIDAD!
¡ESO ES IPPO! ¡MIYATA ESTÁ ASUSTADO! ¡SIGUE PRESIONANDO CON TU JAB!
PAF PAF PAF PAF PAF
¿CÓMO QUE ESTOY ASUSTADO?
GRRR
¡JAB! ¡JAB! ¡JAB!
PLOF
PAF
¡UGH!
PAF
PLOF
PLOF

PAM PAM
BAM
UGH...
PAS
COMO ESPERABA. LOS TIPOS CALCULADORES COMO MIYATA...
...SE DESMORONAN CUANDO SUS PLANES FALLAN.
¡ESA ES SU DEBILIDAD!
¡HA PERDIDO EL EQUILIBRIO!
¡AHORA!
BAM
FUOOOH
¿¡LA DERECHA!?
ÑUG
ÑUG

¡¡PAM!!
OOOH
¡¡HA ROTO SU GUARDIA!!
NGH...

ZAS
AH...
¡AH!
¡ESTA DESCUBIERTO!
VA...

¡¡VAMOS!!
¡UN GOLPE MÁS!

HAJIME NO
IPPO
Asalto 4: Lágrimas de alegría
¡ESTÁ DESCUBIERTO!
¡¡DAVE!!

FUOM
BR BR BR BR BR BR BR BR BR BR BR BR BR BR BR BR BR
DIIING
ARF... ARF...
NGH...
ARF... ARF...
...
BR
BR
BR
¡UY! ¡QUÉ CERCA HA ES-TADO!
SI LLEGA A ENTRAR ESE GOL-PE...

¡BIEN HECHO, NOVATO!
ESOS GOLPES NO HAN ESTADO NADA MAL.
ARF... ARF... ARF...
はぁ はぁ はぁ
AH.
GRA... GRACIAS.
JE, JE.
¡¡NO TE EMOCIONES!!
PONC
ゴキッ
¡AY!
DIME TODO LO QUE TE HE ENSEÑADO HASTA AHORA.
HM... EL JAB, LA GUARDIA, DESLIZARSE...
...Y EL CROSS.
MUY BIEN. EN EL PRÓXIMO ASALTO LO USAREMOS TODO.
SUBE LA GUARDIA, ACÉRCATE Y DALE CON LA IZQUIERDA Y DESPUÉS CON LA DERECHA.
¿LA IZQUIERDA Y DESPUÉS LA DERECHA?
FIUM
FIUM
FIUM
HAN ACABADO LLEGANDO AL TERCER ASALTO.
LA COSA ESTARÍA MÁS INTERESANTE SI EL CROSS DEL NUEVO HUBIERA ACERTADO.
PARECE QUE A MIYATA LE FALTA POTENCIA.
ESTE COMBATE SE ESTÁ PONIENDO INTERESANTE.

FLIP
JE, JE.
EH...
DIIING
RAAAS
すすすっ
INGENUOS. SI CREÉIS QUE EL BOXEO SE TRATA DE DERROTAR AL RIVAL A BASE DE FUERZA BRUTA, ESTÁIS MUY EQUIVOCADOS.
SE BASA EN ATACAR LOS PUNTOS DÉBILES DEL RIVAL EN EL MOMENTO CORRECTO.
FIUM
¿UN JAB SEGUIDO DE LA DERECHA?
PAF
¿QU...?
IZQUIERDA, DERECHA. IZQUIERDA, DERECHA.
FIUM
FIUM
INCLUSO ESTÁ HACIENDO COMBINACIONES. ME QUITO EL SOMBRERO.
IZQUIERDA, DERECHA. IZQUIERDA, DERECHA.
FIUM FIUM
FIUM
FUOS FUOS
FUOS
MIYATA ESTÁ A LA DEFENSIVA. YA NO SE LE VE TAN TRANQUILO COMO ANTES.
¿NO TENDRÁ MIEDO DE LA DERECHA DEL NUEVO?

MIYATA NO ES NINGÚN BLANDO.
AUNQUE PAREZCA QUE IPPO TIENE LA VENTAJA, NO HA CONSEGUIDO ACERTAR NI UN SOLO GOLPE.
EL CROSS DEL FINAL DEL SEGUNDO ASALTO ERA LA OPORTUNIDAD DE IPPO.
EL NO HABERLA APROVECHADO SE VA A NOTAR.
MIYATA NO VOLVERÁ A COMETER EL MISMO ERROR.
Y ENCIMA AHORA ESTÁ MUCHO MÁS MOTIVADO. ESTE ASALTO VA A SER MUY DURO.
FIUM
FIUM
FIUM
ESE MIYATA... ESTÁ DEMASIADO TRANQUILO.
¿QUÉ ESTARÁ PLANEANDO?
...
PAF
OH...

PAF
RECORDAD ESTO.
ZAS
NGH... UGH.
TAMBIÉN SE PUEDE GANAR ASÍ EN BOXEO.
PLOC
PLOC
CLANC
¿¡...!?
¡AH!
¿AH?
¿AH?
¿AH?
TEKE TEKE
TEKE TEKE TEKE
¡¡YA ENTIENDO!! ¡BUSCABA PEGARLE EN LA BARBILLA!

LE HA DADO...
AL GOLPEAR EN LA BARBILLA, EL IMPACTO HACE QUE EL CEREBRO REBOTE DENTRO DEL CRÁNEO E IMPOSIBILITA A LA PERSONA MOVERSE CON NORMALIDAD POR UN TIEMPO...
HMPF...
¡AUNQUE SIGA CONSCIENTE, NO SERÁ CAPAZ DE INCORPORARSE!
PAM PAM
¡UUUGH!
PAM PAM
¡UUUGH!
PAM PAM
PAM PAM
PAM PAM
¡UUUGH!
...
FIUUU...
ARF... ARF...
ARF... ARF... ARF... ARF... ARF...
TEKE
TEKE TEKE TEKE
TEKE
TEKE TEKE TEKE TEKE
SE HA... LEVANTADO...

IZ-QUIERDA, DERECHA. IZQUIER-DA, DERECHA...
BS BS
BS
TEKE TEKE
QUÉ PESADO.
¿DE QUÉ ESTÁ HECHO ESTE TÍO?
PATAPAF
¡¡IPPO!!
PLOF
IZ... IZ-QUIER-DA.
DE... DERE-CHA.
BS BS BS
TEKE
TEKE TEKE
NO PUEDE SER...
BR BR BR BR
BR BR BR BR
PLOC
UGH.
OH.
SIGUE PEGANDO IGUAL DE FUERTE QUE ANTES.
¡SI CAES AL SUELO UNA VEZ MÁS, SE ACABÓ!
¡NI SE TE OCURRA CEDER!
PAF

ARF... ARF... ARF... ARF...
¡UUUGH!
はあ はあ
ぜえ ぜえ
FAS
FAS
FAS
PAF
PAF
PAF
PAF
FIUM
FIUM
FIUM
ALGUIEN NORMAL NO PODRÍA CONTRAATACAR EN ESA SITUACIÓN.
QUE SE HAYA LEVANTADO ES YA UN MILAGRO DE POR SÍ.
PAF
PAF
NO PIENSO CAER.
ARF...
ARF...
ARF...
¡NO PIENSO CAER!
SE LE ESTÁ EMPEZANDO A DEFORMAR LA CARA AL NUEVO...
ADEMÁS, MIYATA SABE DEFENDER Y ATACAR A LA VEZ.
PAF
PAF

PLOF
TAP
ÑIC
ÑIC
NO... VOY A CAER.
¡NO PIENSO CAER!
ÑUG
ÑUG
TEKE
TEKE
YA LO HE DECIDIDO.
ARF...
ARF...
ARF...
ARF...
VOY A RENACER.
ARF...
ARF...
ARF...
VOY A CONVERTIRME EN UN BOXEADOR PROFESIONAL.
ESE RENACUAJO...
HA SUJETADO LA PIERNA QUE LE TEMBLABA PARA EVITAR CAERSE.
ESTO ES UNA HUMILLACIÓN.
ES COMO SI ESTUVIESEN REFUTANDO TODO LO QUE HE APRENDIDO DE BOXEO HASTA AHORA.
¡¡NO PIENSO ACEPTAR SEMEJANTE TONTERÍA!!
PLOF
PAF
PAM
BLAM
ZAS
VOY A ACABAR CONTIGO EN ESTE ASALTO CUESTE LO QUE CUESTE.

MENUDA RÁFAGA DE GOLPES...
ばくっ
PAM
AH...
ARF...
¡LO CONSEGUÍ!
がばっ
FLAP
¡AAAGH!

FUOM
UUGH.
PATAF
¡DESGRACIADO!
BR BR
BR BR BR BR BR BR BR
...
PAF PLOF
POF PAM
PAF PLOF
BAM
¡CAE DE UNA VEZ!
¡VAMOS!
IZQUIERDA... DERECHA...
UF... UF...
PUM
NGH...
BR BR BR
BR BR

¡¡CÁETE DE UNA VEZ!!
¡MIER-DA!
¡NO VAYAS, IPPO! ¡ES UN COUNTER!
FUM

...
FIU
すぃ...
FUUU...
FUUU...
VOY A SER UN BOXEADOR...
...PROFESIO...
...NAL...
PLOF

FAS
¡OYE! ¡IPPO!
QUE ALGUIEN ME TRAIGA UN CUBO DE AGUA.
...
AH. ¡YO VOY!
¡NO, LO TRAIGO YO!
¡DÉJAMELO A MÍ!
TAP TAP TAP
¿HM?
FLIP FLIP
...
CACHAC
HE VISTO EL COMBATE. ¡ESE CHICO TIENE AGALLAS!
GRRR GRRR

HMPF.
ESE TIPO DE BOXEADORES YA NO ESTÁN DE MODA.
CLP CLIP
SIN EMBARGO, HARADA, EBIHARA, ÔBA, WAJIMA...
LOS ANTIGUOS BOXEADORES SE LEVANTABAN SIN IMPORTAR CUÁNTAS VECES LOS TUMBASEN.
Y CADA VEZ QUE SE ERGUÍAN, NOS HACÍAN SOÑAR.
BLAM
¡MALDITO VIEJO!
¡ASÍ QUE ESTABAS AQUÍ ESCONDIDO!
¡MÁS TE VALE HABER VISTO EL COMBATE HASTA EL FINAL!
EL MUCHACHO QUE HAS TRAÍDO NO ES UNO CUALQUIERA.
POCOS SE HABRÍAN ESFORZADO TANTO POR UN SIMPLE *SPARRING*.
¡DILE QUE VENGA TODOS LOS DÍAS A PARTIR DE MAÑANA!
LO CONVERTIRÉ EN UN BOXEADOR PARA EL EXAMEN DE DENTRO DE SEIS MESES.

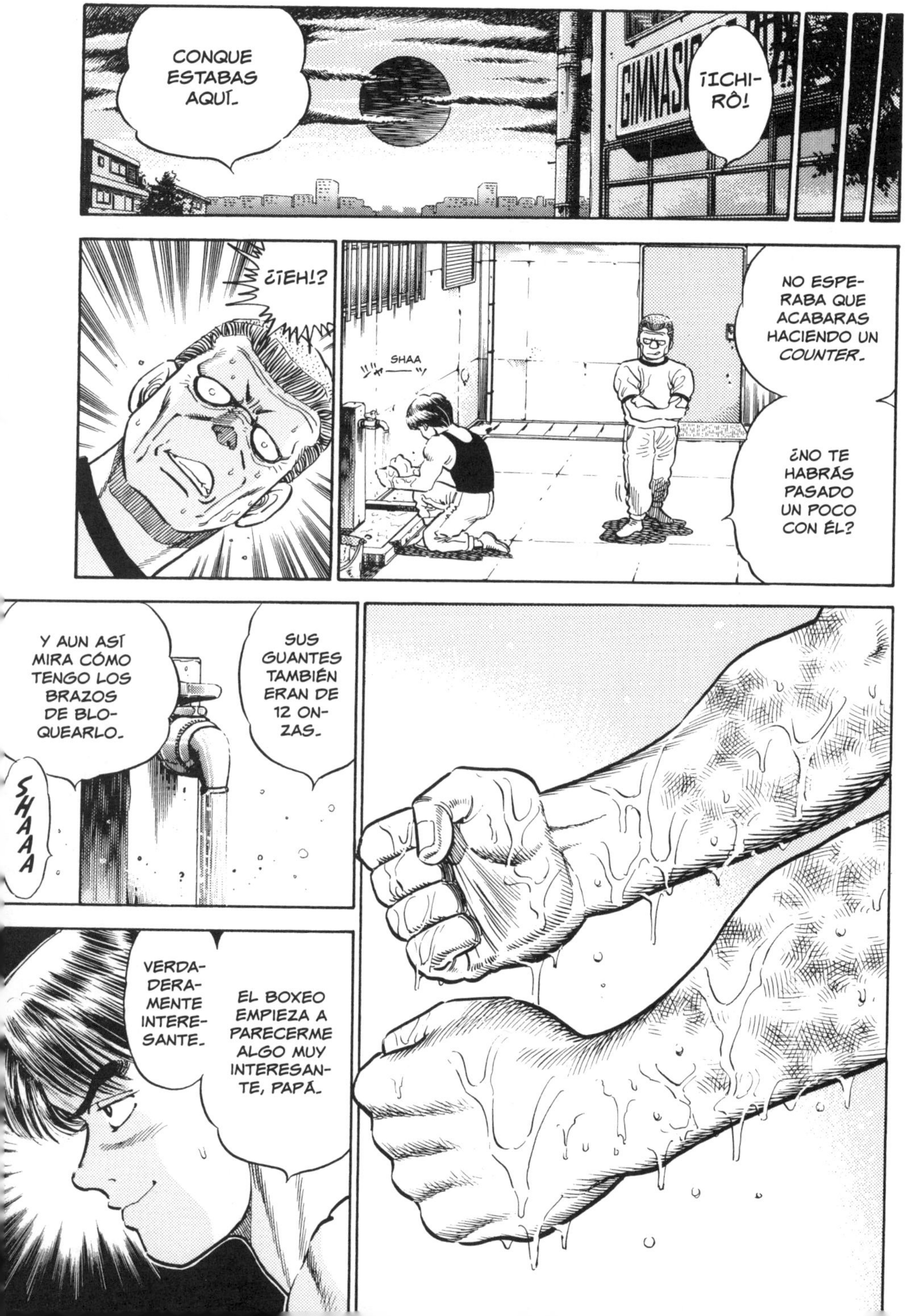

¡ICHIRÔ!
CONQUE ESTABAS AQUÍ...
NO ESPERABA QUE ACABARAS HACIENDO UN COUNTER...
¿NO TE HABRÁS PASADO UN POCO CON ÉL?
SHAA
¿¡EH!?
SUS GUANTES TAMBIÉN ERAN DE 12 ONZAS...
Y AUN ASÍ MIRA CÓMO TENGO LOS BRAZOS DE BLOQUEARLO...
SHAAAA
EL BOXEO EMPIEZA A PARECERME ALGO MUY INTERESANTE, PAPÁ...
VERDADERAMENTE INTERESANTE...

¡UOOH!
¡¡SE HA DESPERTADO!!
GIMNASIO DE BOXEO KA
GIMNASIO DE BOXEO KAMOGAWA
FLOP
きょとん
YA VEO. ENTONCES HE PERDIDO...
NO HE CONSEGUIDO DARLE NI UN SOLO GOLPE.
VENDRÁS A ENTRENAR A PARTIR DE MAÑANA, ¿NO? ES UN PLACER.
TUS GOLPES SON BUENOS, PERO TIENES QUE TRABAJAR EN LA DEFENSA.
¡¡ÁNIMO CON EL EXAMEN PARA PROFESIONAL!!
¿EH?
¿EH?
PSSS
ぽそっ
EL PRESIDENTE HA DICHO QUE ESTÁS APROBADO.
¿¡QUÉ TE PARECE!? ES GENIAL, ¿NO?
¡JA, JA, JA! JA, JA,
¡TÚ PUEDES!
EH...

¡CHICOS! OS PRESENTO AL NUEVO INTEGRANTE: IPPO MAKUNOUCHI.
¡TRATADLO BIEN!
¡JA, JA, JA, JA, JA, JA, JA, JA, JA, JA!
¡DI ALGO!
AH...
ME... ME LLAMO IPPO MAKUNOUCHI.
ES UN PLACER CONOCEROS A TO...
BRRR BRRR
もじもじ
...DOS.
BRRR
じわっ
CLAP CLAP CLAP CLAP
SNIF, SNIF.
SNIF.

HAJIME NO IPPO

HAJIME NO IPPO

Asalto 5: El *uppercut* del 1965

ZUM ZUM ZUM ZUM ZUM ZUM ZUM ZUM
¡HOY HEMOS PESCADO UNO GRANDE!
QUÉ BIEN QUE LOS CLIENTES ESTÉN CONTENTOS, ¿VERDAD?
LOS DEL GRUPO DE PROFESORES DE LA UNIVERSIDAD DE DEPORTES SIEMPRE HAN SIDO CLIENTES ESPECIALES, DESPUÉS DE TODO...
ENSEGUIDA LLEGAREMOS AL PUERTO, ASÍ QUE DENME SUS NEVERAS, POR FAVOR.
IPPO ES UN HIJO EJEMPLAR, COMO SIEMPRE.
TIENE RAZÓN.
NGH...
UOOOH
POR CIERTO...
¿QUÉ LE HA PASADO EN LA CARA?
VERÁ...
NO SÉ QUÉ MOSCA LE HA PICADO, PERO DE REPENTE DIJO QUE QUERÍA HACER BOXEO.
ZUM ZUM ZUM

CONQUE BOXEO, ¿EH?
POR SUPUESTO, YO ME OPUSE.
NO CREO QUE SEA APTO PARA UN DEPORTE TAN AGRESIVO.
SU DIFUNTO PADRE TAMBIÉN ERA MUY TRANQUILO, PERO SI SE PONÍA SERIO NO HABÍA QUIEN LE PARASE LOS PIES.
PAM PAM
JA, JA, JA. ESTÁ CLARO QUE DE TAL PALO TAL ASTILLA.
...
AHORA QUE LO DICE, LA MIRADA DE IPPO CUANDO TRATABA DE CONVENCERME AYER...
...ERA IDÉNTICA A LA DE SU PADRE.
¡HEMOS LLEGADO!
ZUM ZUM ZUM ZUM ZUM
くらくら
FLIP FLOP
UPS.
AH.
TENGAN CUIDADO HASTA QUE EL BARCO DEJE DE BALANCEARSE.

¡VAYA! ES CAPAZ DE CAMINAR SOBRE EL BARCO CARGANDO CON TODO ESE PESO.
SI LLEVA HACIENDO ESO DESDE QUE ERA PEQUEÑO...
TENGAN CUIDADO CON DONDE PISAN AL BAJAR.
TOMP TOMP TOMP
IPPO, HE OÍDO QUE HAS EMPEZADO A HACER BOXEO.
AH, ¡SÍ!
ESTÁS HECHO UN HIJO EJEMPLAR.
ESA AMABILIDAD TUYA SE VERÁ RECOMPENSADA EN EL BOXEO, YA VERÁS.
ASÍ QUE TÚ SIGUE CUIDANDO BIEN DE TU MADRE.
EH... CLARO.
? ?
GIMNASIO DE BOXEO KAMOGAWA

EO KAMOGA
BU-BUM
BU-BUM
BU-BUM
BU-BUM
BU-BUM
EL MISMO PRESIDENTE VA A SER MI ENTRENADOR Y SU CARA DA MUCHO MIEDO.
UGH, QUÉ NERVIOS.
BU-BUM
BU-BUM
BU-BUM
BU-BUM
BU-BUM
BU-BUM
ES EL PRIMER DÍA. TENGO QUE DEMOSTRAR MIS GANAS.
FIUUU
RAS
¡¡BUENAS TARDES!!
¡¡ESTOY LISTO PARA ENTRENAR!!
PAM
QU... ¿QUÉ PASA?
TEKE
TEKE
¡PIENSA EN LA EDAD DEL PRESIDENTE, IDIOTA! ¡VAS A HACER QUE LE DÉ UN INFARTO!
¡UGH! LO SIENTO MUCHO.
VAYA SUSTO ME HAS DADO.

¡MALDITO CRÍO...!
AY, MI MADRE.
¡NO TE QUEDES AHÍ PARADO! ¡VAMOS AL RING DEL SUBSUELO!
¡EMPECEMOS CUANTO ANTES!
S... ¡SÍ!
ジロッ
FLIP
¿TÚ QUÉ HACES AQUÍ?
BUENO... HABÍA MUCHA GENTE ARRIBA.
¡VETE A GOLPEAR EL SACO DE BOXEO!
PONC
PAF
¡MALDITA SEA!
EMPECEMOS POR ESTO.
SALTAR A LA COMBA ES UN EJERCICIO BÁSICO PARA ENTRENAR EL TREN INFERIOR Y EL RITMO.
¿SALTAR A LA COMBA? INCLUSO YO PUEDO HACER ESTO.
GRRR
TAP TAP TAP TAP TAP TAP TAP
HOP HOP

¿QUÉ DIANTRES HACES? ¡MÁS RÁPIDO!
TAP TAP TAP
¡SÍ!
FUOM
FUOM
PAPAPAF
PAPAPAF
NO TE RÍAS, ÉL SE LO ESTÁ TOMANDO MUY EN SERIO.
PFFF... JU, JU, JU.
JE...
¡UUAH!
¡JA, JA, JA, JA!
¡SUFICIENTE! DEJAREMOS LO DE SALTAR.
UUUGH...
ROLONC ROLONC
TIENES TAREA PARA CASA. APRENDE A SALTAR A LA COMBA.
¡SÍ! ¡PROMETO QUE LO HARÉ SIN FALTA!
PONTE LOS GUANTES Y SUBE AL *RING*.
VAS A GOLPEAR LAS GUANTILLAS.
HA DEJADO DE LADO LAS BASES PARA PASAR DIRECTAMENTE A GOLPEAR LAS GUANTILLAS.
PERO ¿NO SERÁ DEMASIADO PARA UN ANCIANO RECIBIR EL *CROSS* DEL NUEVO?
¿QUÉ TE PASA?
¡VAMOS! PEGA SIN MIEDO.

¡PIENSA EN LA EDAD DEL PRESIDENTE!
ME PREGUNTO SI NO LE HARÉ DAÑO...
VO... ¡VOY!
GLUCS
PAF
...
¡DATE PRISA!
¡VAMOS!
QUÉ BIEN HA SONADO EL GOLPE...
GOLPEA CON UNA FUERZA INCREÍBLE, COMO SIEMPRE...
BR BR BR BR BR
¡¡QUÉ BIEN SIENTA!!
¿ESTÁ BIEN? ¿SE HA HECHO DAÑO?
KAMOGAWA BOXING GIM

GLUCS
びくっ
ZAS
ス
HMPF... YA VEO POR QUÉ TAKAMURA SE FIJÓ EN TI...
TIENES APTITUDES...
JE, JE...
EH...
¿ESO... HA SIDO UN CUMPLIDO?
¡VAMOS! AHORA UN UNO-DOS...
AH... ¡VOY!
PAF PAF PAF PAF
ZAS
PLOF
PLOF
PLOF
PLOF
Y CADA VEZ VA ACELERANDO MÁS...
GUAU... ¡CÓMO SUENA!
FAM FAM FAM
CON LO MALO QUE ES SALTANDO A LA COMBA, ¿CÓMO ES QUE TIENE TAN BUEN SENTIDO DEL RITMO?

MENUDO ES EL PRESIDENTE. NO ES FÁCIL ENCONTRAR UN ENTRENADOR QUE TE HAGA GOLPEAR TAN BIEN.
USA GUANTILLAS SIN ACOLCHAR PARA QUE SUENE MEJOR Y ASÍ SUBIR LA MORAL AL ALUMNO.
PAF PAF
DE ESTA FORMA CONSIGUE QUE EL ALUMNO COJA CONFIANZA Y RITMO.
¡ADEMÁS COLOCA LAS GUANTILLAS EN LUGARES QUE PROVOCARÍAN GOLPES CRÍTICOS!
ESO HACE QUE EL CUERPO MEMORICE LA FORMA ADECUADA DE GOLPEAR.
¡ESA ES LA MAGIA DEL PRESIDENTE!
CUANDO YO ACABABA DE LLEGAR, TAMBIÉN COGÍ CONFIANZA GRACIAS A ESO.
¡MUY BIEN, MOCOSO! SI HUBIERAS ACERTADO UNO SOLO DE ESTOS GOLPES, QUIÉN SABE QUÉ HABRÍA SIDO DE MIYATA.
PAF
!
PERO ÉL LOS ESQUIVÓ TODOS.
NO HABÍA NADA QUE HACER.
PAF PAF
SI YO TE PREPARO, DENTRO DE SEIS MESES... NO, DE TRES MESES, SERÁS CAPAZ DE PELEAR CON ÉL EN IGUALDAD DE CONDICIONES.
¡¡NO DIGAS SANDECES!
ESPERE UN MOMENTO, POR FAVOR.
LO VA A OÍR. ESE TIPO DE BROMAS NO LE VAN A HACER GRACIA A MIYATA.
PAPAPAF PAPAPAF

¡AL-CORNO-QUE!
¡SI CREES QUE MIENTO, PRUEBA A LUCHAR CON ÉL DENTRO DE TRES MESES! PUEDE QUE GANES.
PLIC
GRRR
AH.
EH...
AY... AY...
¿ES QUE NO QUIERES VOLVERTE MEJOR BOXEADOR QUE MIYATA?
CLA... CLARO QUE ME ENCANTARÍA SI FUERA POSIBLE, PERO...
PERO...
FIUM
¡ENTONCES NO SE HABLE MÁS!
¡LO PRIMERO QUE DEBES APRENDER ES ESTO!

PLIC
¡EL UPPERCUT!
JE...
¿¡UPPERCUT!?
¿¡U...!?
DESPUÉS DE SEMEJANTE RÁFAGA DE GOLPES, SI NO LE DISTE, NO FUE PORQUE APUNTASES MAL...
JAB
CROSS
...SINO PORQUE TODOS TUS ATAQUES SE DIRIGÍAN A TU OPONENTE EN LÍNEA RECTA.
TIENES LA ENERGÍA SUFICIENTE COMO PARA LANZAR GOLPES POTENTES DE FORMA CONTINUADA. BASTA CON QUE APRENDAS A ATACAR DESDE DIFERENTES ÁNGULOS.
ENTONCES, NI UN ESTILISTA COMO MIYATA SERÁ CAPAZ DE DEFENDERSE.
UNA VEZ QUE ROMPAS SU DEFENSA, TODO DEPENDE DE CUÁNTA POTENCIA PUEDAS IMPRIMIR EN EL GOLPE. DICHO DE OTRO MODO, TIENES POSIBILIDADES.

¿YO PODRÍA... GANARLE A MIYATA?
¡UN BOXEADOR ASÍ NO TIENE NINGÚN ENCANTO!
¡TAN SOLO DEBES APLASTAR LA TÉCNICA CON FUERZA BRUTA!
CON EL SALTO A LA COMBA LO HE COMPROBADO, PERO EN REALIDAD YA SABÍA QUE ERAS TORPE.
¡NO VOY A PEDIRTE NADA QUE REQUIERA DE MUCHA DESTREZA! ¡NO ESPERO QUE TE CONVIERTAS EN UN BOXEADOR DE LARGA DISTANCIA!
TUS PUÑOS TIENEN LA FUERZA SUFICIENTE PARA HACERLO.
¿QUÉ OPINAS?
¿QUIERES INTENTARLO?
...
ぶるぶる
TEKE TEKE
AH... ¡SÍ!
EL UPPERCUT, ¿VERDAD?
A... ¿ASÍ ESTÁ BIEN?
TSK. SU GUARDIA ES UN DESASTRE.
¿QUÉ ESTÁ HACIENDO ESE VIEJO?
GR GR
そわそわ

ECHA EL CUERPO HACIA ADELANTE Y DOBLA LAS RODILLAS.
SÍ.
ÑUG
ÑUG ÑUG
PON EL PUÑO EN EL COSTADO.
¡ASEGÚRATE DE COLOCAR EL DORSO DE LA MANO MIRANDO HACIA ABAJO!
CUANDO ESTÉS LISTO, ESTIRA LAS RODILLAS HACIA ARRIBA CON TODAS TUS FUERZAS.
¡AL MISMO TIEMPO, LANZA EL PUÑO HACIA ARRIBA!
BRRR BRRR
¡VAMOS, PRUEBA!
¿HABÉIS OÍDO? VA A INTENTAR HACER UN *UPPERCUT*.
DESPUÉS DE VER SU *CROSS* Y SU *JAB*...
...SEGURO QUE ES UN GOLPE DEMOLEDOR.
¡NO FALLES, IPPO!
TEKE TEKE BU-BUM BU-BUM
...

ÑUG ÑUG
HM... ECHAR EL CUERPO HACIA ADELANTE, DOBLAR LAS RODILLAS...
ÑUG
COLOCAR EL PUÑO EN EL COSTADO...
GLUCS
...
ESTIRAR LAS RODILLAS DOBLADAS...
Y CON LA INERCIA DEL CUERPO...
BLAM
ÑUUG
ÑUUUG

¡...LEVANTAR EL PUÑO!
FUOM

AH...
¡AAAAGH!
¡LE HA DADO AL AIRE!
ESTE MOCOSO...
¡UNA VEZ MÁS!
ZAS
S... ¡SÍ!
BU-BUM
¡FÍJATE BIEN! ¡ESTA VEZ NO FALLES!

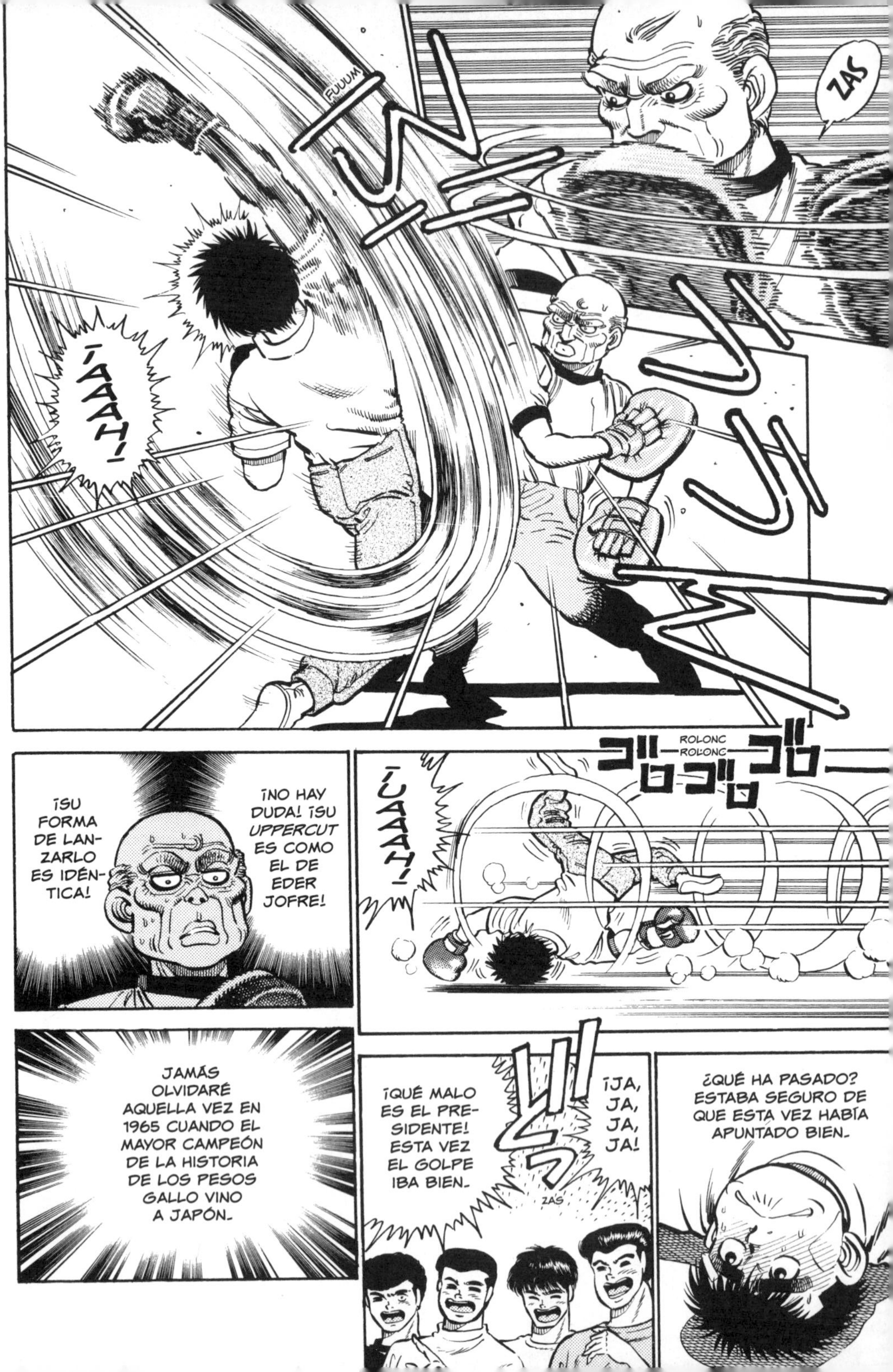
ZAS
FUUUM
¡AAAH!
ROLONC ROLONC
¡UAAAH!
¡NO HAY DUDA! ¡SU *UPPERCUT* ES COMO EL DE EDER JOFRE!
¡SU FORMA DE LAN-ZARLO ES IDÉN-TICA!
JAMÁS OLVIDARÉ AQUELLA VEZ EN 1965 CUANDO EL MAYOR CAMPEÓN DE LA HISTORIA DE LOS PESOS GALLO VINO A JAPÓN.
¿QUÉ HA PASADO? ESTABA SEGURO DE QUE ESTA VEZ HABÍA APUNTADO BIEN.
¡JA, JA, JA, JA!
ZAS
¡QUÉ MALO ES EL PRE-SIDENTE! ESTA VEZ EL GOLPE IBA BIEN.

EL PODER DESTRUCTIVO QUE REFLEJABA SU CUERPO ERGUIDO HIZO QUE ME EMOCIONARA.
¡EL *UPPERCUT* QUE LANZÓ JOFRE AL AIRE AL SONAR LA CAMPANA DE INICIO HIZO QUE UN ESCALOFRÍO ME RECORRIERA LA ESPALDA!
¡EDER JOFRE ERA CONOCIDO COMO EL GALLO DE ORO!
18/5/1965 EDER JOFRE VS FIGHTING HARADA
ESE IPPO... LO SUPE DESDE QUE VI SU *CROSS*.
LA FUERZA DE SU TREN INFERIOR ES ENVIDIABLE.
A LOS JAPONESES NO SE NOS DA BIEN EL *UPPERCUT*.
ESO ES PORQUE TENEMOS LAS RODILLAS MUCHO MÁS DÉBILES QUE LOS OCCIDENTALES.
¡QUIÉN HUBIERA PENSADO QUE ESTE MOCOSO ME MOSTRARÍA ESO MISMO!
JA...
¡JA, JA, JA!
¡DOMINA ESTA TÉCNICA! ¡NO PUEDO ESPERAR A VER TU REVANCHA CONTRA MIYATA!
¡JA, JA, JA, JA, JA!
?
?
¡JO, JO, JO! ¡JAMÁS PENSÉ QUE ME HARÍAS RECORDAR HISTORIAS DE HACE MÁS DE VEINTE AÑOS!

¿QUÉ HACES TÚ AQUÍ? ¿QUÉ PASA CON TU ENTRENA-MIENTO?
POF
¡AHG! ¡MALDI-CIÓN!
¿HM?
YA ENTIENDO.
ENTRENANDO A IPPO PRETENDE PROVOCAR A MIYATA.
QUÉ VIEJO TAN ASTUTO...
ÑUUG
¿POR QUÉ ME HA ELOGIADO? SI NO LE HA DADO...

HAJIME NO IPPO

Asalto 6: Boxeo de sombra

BAM BAM
BAM
CONQUE VOLVERÉ A PELEAR CONTRA MIYATA EN TRES MESES, ¿EH?
QUÉ EMOCIÓN…
¡AOKI! ¿ESTÁS BIEN?
¡ESTÁ ECHANDO ESPUMA POR LA BOCA!
¿QUIÉN FUE EL QUE LE DIJO A MIYATA QUE NO TENÍA FUERZA? AOKI ES UN BOXEADOR DE SEIS ASALTOS…
ESTÁ MUY MOTIVADO ÚLTIMAMENTE…
¿QUÉ HACES? ¡NO TE QUEDES PARADO!
¡PERDÓN!
PAF PAF

YO ME VOY A HACER UNOS RECADOS. TÚ QUÉDATE HACIENDO BOXEO DE SOMBRAS.
¿SOMBRAS?
MÍRALOS, ES LO QUE ESTÁN HACIENDO ELLOS.
FUM FUM FUM
¿TENGO QUE PRACTICAR YO SOLO? QUÉ MAL.
¿SERÁ ASÍ? ¿ASÍ ESTARÁ BIEN?
FIUM FIUM FIUM
くすくす
¡JA, JA, JA!
PA... PARECE QUE NO.
¡YA SÉ! LE PEDIRÉ A MIYATA QUE ME ENSEÑE.
TENEMOS LA MISMA EDAD. ¡QUIZÁ ASÍ PUEDA HACERME SU AMIGO!
¿QUÉ QUIERES?
FLIP
EH... QUERÍA PEDIRLE A MIYATA QUE ME ENSEÑARA UNA COSA...
BU-BUM BU-BUM BU-BUM BU-BUM
どぎまぎ
HMPF. HAY DEMASIADA DIFERENCIA DE NIVEL ENTRE VOSOTROS DOS.
POR MUCHO QUE TE ENSEÑARA ALGO, SERÍA TAN DIFÍCIL PARA TI QUE NI LO ENTENDERÍAS.
PAF
ESTAMOS ENTRENANDO. NO MOLESTES.
¡UAGH!

TAP TAP
PLOF
ぺたん……
FIUM
FIUM
HM...
FIUM
FIUM
ZAS ZAS
AHORA QUE ME FIJO, NO ESTÁN SOLO LANZANDO GOLPES AL AIRE.
PARECE COMO SI ESQUIVASEN Y GOLPEASEN A ALGO INVISIBLE.
HM...
ZAS
FIUM
FIUM
FIUM
¡YA ENTIENDO! CADA UNO TIENE UN ENEMIGO IMAGINARIO.
¡ASÍ QUE CON SOMBRAS SE REFIERE A SIMULAR UN COMBATE REAL CON UN ENEMIGO IMAGINARIO!
¡VOY A INTENTARLO YO TAMBIÉN! EL ENEMIGO IMAGINARIO...
HM...
HM...
もや
もや

PAF
UGH... VAYA ENEMIGO IMAGINARIO MÁS FUERTE.
AUNQUE, BIEN PENSADO, NO HE PELEADO CON NADIE MÁS.
SU CARA ME VIENE ENSEGUIDA A LA MENTE, PERO ¿CÓMO ERAN SUS MOVIMIENTOS?
DURANTE EL COMBATE ESTABA DEMASIADO CONCENTRADO COMO PARA FIJARME.
FIUM FIUM
¡AU!
¡AU!
FLOP FLOP
¡SOLO CONSIGO IMAGINARME RECIBIENDO UNA PALIZA! ¡ASÍ NO ES COMO DEBERÍA PRACTICAR!
TENGO QUE VISUALIZAR EL ENEMIGO AL COMPLETO. SI NO, NO PODRÉ PERSEGUIRLO Y GOLPEARLO.
FIUM FIUM FIUM
¡AU!
FLOP FLOP FLOP
GIM
PERO ¿QUÉ HACE?
GR GR

AL DÍA SIGUIENTE...
GIMNASIO
ÑAG
¡AH! ¡MIYATA VA A HACER UN SPARRING!
DIIING
HM...
ZAS ZAS ZAS
¡QUÉ RÁPIDO! VIÉNDOLO DE NUEVO ES MUY VELOZ...
PLOF
¿¡EH!?
¿CÓMO?
¿CÓMO LO HA DERRIBADO?
NO HE PODIDO VER NADA...

CÓMO INTIMIDA MIYATA.
ANTES ERA BUENO, PERO ÚLTIMAMENTE DOMINA INCLUSO EL CUERPO A CUERPO.
JE...
PARECE QUE ESTÁ OBSERVÁNDOME.
BUENO, ESFUÉRZATE TODO LO QUE PUEDAS.
NORI-P
POR MUCHO QUE MEJORES EN ESTOS TRES MESES, YO TAMBIÉN ME HARÉ MÁS FUERTE.
¡LA DIFERENCIA ENTRE NOSOTROS NO SE REDUCIRÁ NUNCA!
BARCOS DE PESCA
TEL 000-00
ESTO NO VA BIEN...
NI SIQUIERA PUEDO SEGUIR LOS MOVIMIENTOS DE MIYATA.
A ESTE PASO, TAMPOCO LOGRARÉ DARLE CON EL *UPPERCUT*.
MIYATA LLEVA PRACTICANDO DESDE PEQUEÑO. ES NATURAL QUE HAYA UNA DIFERENCIA ABISMAL ENTRE NOSOTROS.

NO VOY A PODER ESTAR A SU ALTURA EN TRES MESES.
ROLONC ROLONC
¡IPPO! ¿QUÉ ES ESTO?
HE IDO A TIRAR LAS REVISTAS DE TU HABITACIÓN Y ME HE ENCONTRADO UNAS HOJAS DENTRO.
PUEDO TIRARLAS, ¿VERDAD?
¿HOJAS?
¡NO LAS TIRES, MAMÁ! ¡ESAS HOJAS SON IMPORTANTES PARA MÍ!
¿EH? ¿EN SERIO?
TAP TAP TAP
HAY QUE VER. ¿EN QUÉ MOMENTO HAS ENTRADO EN MI CUARTO?
ESTAS HOJAS SON UN RECUERDO DEL MOMENTO EN QUE EMPECÉ A HACER BOXEO.
BLA BLA BLA
...
EN AQUEL MOMENTO TAMBIÉN ESTUVE A PUNTO DE RENDIRME.
¡SI ME ESFUERZO, YO TAMBIÉN SOY CAPAZ DE HACERLO!
ÑUG

DOS DÍAS DESPUÉS...
GIMNASIO DE BO
FLIP
ÑIC
ÑIC
ÑIC
FLIP
FLIP
PAS
PAS
PAS
HM...
TRATO DE FIJARME EN TODO Y POR ESO NO FUNCIONA...
ÑIC
VOY A FIJARME SOLO EN LAS PIERNAS POR AHORA...
ÑIC
HMMM...
FÍJATE BIEN...
TATAP
ÑIC
TAP

¡QUÉ HÁBIL!
CONQUE ASÍ ES COMO CAMBIA DE DIRECCIÓN.
AVANZO ASÍ...
BLA BLA BLA BLA BLA
TAP TAP TAP
ÑIC
TATAP.
¡TAP!
CRUZO LAS PIER- NAS...
¡Y SALTO PARA UN LADO!
PONC
...
¡NO ES ASÍ!
TAP
TAP TAP
HMPF.
PARECE SER...
...QUE HA LLEGADO EL MOMENTO EN EL QUE NE- CESITA MIS CONSEJOS.
JE...

ESTATE QUIETO.
PERO ES QUE ES TAN MALO QUE DA VERGÜENZA VERLO.
PAM
¡A CALLAR! ¡VETE A HACER TU PROPIO ENTRENAMIENTO!
PAM
¡MALDITA SEA!
CUANDO EMPIEZA A HABLAR PARA SÍ MISMO ES QUE ESTÁ PENSANDO.
DÉJALO QUE SAQUE SUS PROPIAS CONCLUSIONES.
BLA BLA BLA BLA BLA
FIUM FIUM
FIUM
ZAS
ZAS
ZAS
BARCOS DE P
ZAS ZAS ZAS ZAS
TRATA DE RECORDAR SUS MOVIMIENTOS DE PIERNAS.
RECUÉRDALOS TAL CUAL LOS HAS VISTO HOY.
TAP TATAP

¡BIEN!
FIUM FIUM
BU-BUM BU-BUM
ドキ ドキ
TRES DÍAS DESPUÉS.
GIMNASIO DE BOX
ÑIC ÑIC ÑIC
キュッ キュッ キュ
FUM FUM
PAF PAF
ドス ドス
FLIP
ちらっ
PAF
HMMM...

AHORA TAMBIÉN VEO SUS GOLPES...
AL FIJARME EN UNA SOLA PARTE DEL CUERPO, POCO A POCO ESTOY EMPEZANDO A CAPTAR EL MOVIMIENTO DE TODO LO DEMÁS...
Y ESO QUE AL PRINCIPIO NO ERA CAPAZ DE VER NADA...
BU-BUM
BU-BUM
BU-BUM
BU-BUM
BU-BUM
¡ATACA CON LA IZQUIERDA! ¡LO ESQUIVO Y LANZO UN *CROSS*!
ENTONCES MIYATA SE AGACHARÁ PARA ESQUIVARLO...
FIUM
BLA
BLA
BLA
FIUM
¡Y ENTONCES VIENE EL *UPPERCUT*!
OH...
NO LO HACE NADA MAL...
¡UGH!
TEKE
ME HA DADO EN LA CARA DESCUBIERTA...
QUÉ BUENO ES MIYATA...

ARF... ARF...
ARF... ARF...
FUM FUM FUM FUM
BS BS
BS
ZAS
ZAS
PAF
FIUM FIUM
FAS
...

UGH...
¿CÓMO PUEDE SER TAN FUERTE SI SOLO ES UNA IMAGEN MENTAL?
PERO...
ARF... ARF...
はぁ はぁ
FIUM FIUM
...LO VEO.
ARF... ARF...
はぁ はぁ
ARF... はぁ
FIUM FIUM FIUM FIUM
¡PUEDO VERLO!
¡VEO SU SOMBRA CLARAMENTE!

DOS SEMANAS DESPUÉS.
GIMNASIO DE
ÑIC ÑIC ÑIC
...
...
HM...
ÑIC ÑIC ÑIC ÑIC ÑIC
HMMM...
PAM
FRIS
...

FAS
¡ESO ES! ¡EXACTAMENTE COMO LA IMAGEN!
FAS
FIUM FIUM
FIUM
FIUM
FIUM
NORI-P
NORI-P
NORI-P
¡OH!
¿¡CÓMO ES POSIBLE!?
POF

!!
INCLUSO YO SOY CAPAZ DE PERCIBIR CLARAMENTE LA SOMBRA CONTRA LA QUE IPPO ESTÁ PELEANDO.
ESTE MOCOSO... HA SIDO CAPAZ DE CAPTAR LA SOMBRA DE MIYATA.
¡LO VEO!
¡PUEDO VERLO!

TATAP
TAP
TAP
PONC
FLAP
¡BAM!
POC
POC
POC
UGH...
¡UUUGH! ¡ESTO NO ERA ASÍ!
AUN ASÍ...
POR MUCHO QUE SEAS CAPAZ DE CAPTAR LA SOMBRA DE MIYATA, ÉL TIENE UN ARMA SECRETA.
¡MIENTRAS NO SEAS CAPAZ DE ANULAR ESE GOLPE, NO TIENES NINGUNA POSIBILIDAD!
...

HAJIME NO IPPO

HAJIME NO IPPO

Asalto 7: El estilista

FAS FAS FAS FAS FAS
FIUM
HA MEJORADO BASTANTE EL BOXEO DE SOMBRA.
ADEMÁS DE TENER UNA FUERZA DE GOLPE INNATA, ES MUY OBEDIENTE, ASÍ QUE APRENDE MÁS RÁPIDO QUE NADIE.
BLA BLA BLA
FAS FAS
GLUCS
びくっ
FAS
BS BS BS
FAS FAS
¿HM?
PLIC
びくっ!!
HMMM...
¿QUÉ PASA? ¿POR QUÉ TE DETIENES?

ES QUE SI LO PERSIGO DEMASIADO ME HARÁ UN COUNTER.
OH.
CUANDO HACE SPARRING, ASÍ ES COMO DERROTA A CASI TODOS SUS OPONENTES.
A MÍ TAMBIÉN ME DEJÓ INCONSCIENTE CON ESE GOLPE.
MIENTRAS NO ENCUENTRE UNA FORMA DE CONTRARRESTAR EL COUNTER, ACABARÁ PASANDO LO MISMO.
YA VEO, CONQUE SE HA PERCATADO DE ELLO.
JE...
ME PREGUNTO SI HABRÁ ALGÚN MÉTODO PARA CONTRARRESTARLO...
JE, JE, JE.
¡JU, JU, JU!
¿LO HAY? ¿HAY ALGUNA FORMA DE PARARLO?
BU-BUM BU-BUM BU-BUM
¡NO!
¡CLONC!

PE... PERO ¿NO DIJO QUE HARÍA QUE ESTUVIERA AL MISMO NIVEL QUE MIYATA CUANDO PELEÁRAMOS DENTRO DE TRES MESES?
¿¡ES QUE NO TENÍA NINGÚN PLAN!?
POR DESGRACIA, CON TU NIVEL ACTUAL NO HAY FORMA DE QUE PUEDAS CONTRARRESTAR EL *COUNTER* DE MIYATA.
¡PERO PUEDES HACER QUE NO LO USE!
KAMOGAWA
¡¡VAMOS A PONERLO EN PRÁCTICA!!
¡SUBE AL *RING*!
PAF
PAF PAF
BU-BUM BU-BUM BU-BUM BU-BUM BU-BUM
¿QUÉ TENGO QUE HACER YO?
ES-TATE QUIETO.
¿EH?
IMAGINA QUE SOY MIYATA Y FÍJATE BIEN.
TATATATATAP TATATATATAP

TATATATATAP
TATATATATAP
TATATATAP
TATATAP
TATATAP
¡AH!
¿QUÉ TE PARECE? ¿MIYATA PODRÍA HABER USADO EL *COUNTER* AHORA?
¡ARF! ¡ARF!
PLOF
¡CLARO! ¡AHORA LO EN-TIENDO!
EL *COUNTER* ES UN GOLPE QUE UTILIZA LA FUERZA DEL AD-VERSARIO.
A LA FUERZA PROPIA DEL GOLPE SE LE SUMA LA DEL OPONENTE CUYO PUÑETAZO QUEDA ANULADO. POR ESO EL DAÑO ES MUCHO MAYOR.
+
ARF... ARF...
ESO QUIERE DECIR QUE SI NO ME LANZO HACIA ÉL, NO PODRÁ HACER UN *COUNTER*.
LO HAREMOS ESPERAR HASTA QUE PIERDA LA PACIENCIA. ENTONCES, EL COMBATE SE VOLVERÁ UN INTERCAMBIO DE GOLPES, Y AHÍ TENEMOS VENTAJA.
¡ENTONCES PONDRÁS EN ACCIÓN TODA LA FUERZA DE TUS GOLPES Y LO DERROTARÁS CON EL *UPPERCUT*!
¡LO LLAMAREMOS LA "ESTRATEGIA IMPACIENTAR"!
E... ¿"ESTRATEGIA IMPACIENTAR"?

じ〜〜〜〜っ
HMMM...
CONQUE "ESTRATEGIA IMPACIENTAR"...
イラ イラ イラ
GR GR GR
じ〜〜っ
HMMM...
わあーーっ
UAAH...
...
ESO ES JUGAR SUCIO, ¿NO CREE?
かあっ
GRRR
A... ¡A CALLAR! ERES MÁS DÉBIL QUE ÉL. ESTA ES LA ÚNICA MANERA DE QUE GANES A MIYATA.
¡A MÍ TAMPOCO ME GUSTA LA IDEA!
GIMNASIO DE BOX
¡VAMOS! ¡PRACTICA LANZAR GOLPES ESTANDO CONTRA LAS CUERDAS!
¡GOLPEA CON PRECISIÓN!
PAF PAF PAF
PAF PAF PAF
S... ¡SÍ!

¡ARF! ¡ARF!
¡ARF! ¡ARF!
¡ARF!
¡ARF!
HEMOS TERMINADO POR HOY. PUEDES MARCHARTE.
MU... MUCHAS GRACIAS.
AH, SÍ. SOBRE TUS ZAPATILLAS...
ARF... ARF... ARF... ARF... ARF...
はぁ はぁ はぁ はぁ
YA CASI NO TIENEN SUELA, PODRÍAS RESBALARTE. ES PELIGROSO, ASÍ QUE CÓMPRATE UNAS NUEVAS.
¿EH? ¿YA SE HAN DESGASTADO TANTO?
NO ME HABÍA DADO CUENTA...
SE NOTA QUE EL ENTRENAMIENTO EN BOXEO ES DURO.
¡YA SÉ! ¡YA QUE ESTAMOS, VOY A COMPRARME UNAS ZAPATILLAS DE BOXEO NUEVAS!
BU-BUM BU-BUM BU-BUM BU-BUM
BU-BUM BU-BUM BU-BUM
PAM
DEPORTES ÔTA
DEPORTES ÔTA

PORTES ÔTA
LLÉVESE ESTAS ZAPATILLAS. ¡LE ASEGURO QUE NO SE ARREPENTIRÁ!
¿EN SERIO?
BLA BLA BLA
¡SON LAS MÁS VENDIDAS! SE LAS LLEVA TODO EL MUNDO.
¡CÓMPRELAS USTED TAMBIÉN!
TIENE PINTA DE NO TENER NI IDEA, ASÍ QUE VOY A VENDERLE LAS MÁS CARAS.
...
SÍ QUE SON CARAS LAS ZAPATILLAS DE BOXEO...
PERO SI SON LAS MÁS VENDIDAS, SEGURO QUE SON BUENAS.
¥25000
ESTÁ BIEN. DEME ESTAS, POR FAVOR.
¡MUCHAS GRACIAS!
DEPORTES ÔTA
FLOP
ESPERA UN MOMENTO.

ES... ¡MIYATA!
FLIP
ちっ
TSK. NI SIQUIERA SABES ELEGIR EL CALZADO.
UGH...
ぼーっ
ESTAS ZAPATILLAS SON PARA BOXEADORES EXTERIORES ESPECIALIZADOS EN EL JUEGO DE PIERNAS.
MIRA.
LA SUELA ES DE PIEL PARA QUE LOS PIES SE DESLICEN SIN PROBLEMAS.
SE MIRE POR DONDE SE MIRE, TÚ ERES UN BOXEADOR DE CORTA DISTANCIA. DEBERÍAS COMPRARTE ZAPATILLAS CON SUELA DE GOMA.
ぼーっ
UGH...
¿QUÉ TALLA USAS?
LA 41...
¿QUÉ TAL ESTOS?
SON LIGEROS Y EL PRECIO NO ESTÁ MAL TAMPOCO.

¡DEME ESTAS OTRAS! ¡SÍ, SIN NINGUNA DUDA ME QUEDO CON ESTAS!
POR... POR SUPUESTO.
EH... LAS VENDAS...
JE, JE, JE...
¿QUÉ PASA? YA TIENES LO QUE QUERÍAS, ¿NO? LÁRGATE.
AH.
E... ES VERDAD. MUCHAS GRACIAS.
SEÑOR, DEME DOS VENDAJES.
AQUÍ TIENE.
PORTES ÔTA
¿HM?

BU-BUM BU-BUM BU-BUM BU-BUM BU-BUM BU-BUM
¡AH!
EH... HM... QUERÍA AGRADECERTE QUE ME HAYAS AYUDADO A ELEGIR LAS ZAPATILLAS Y...
¡TOMA!
FAS
TAMBIÉN HE COMPRADO UNA PARA MÍ.
HE PENSADO QUE PODRÍAMOS CHARLAR UN POCO HASTA TERMINÁRNOSLAS.
GULP
¡YA ESTÁ, ME LA HE TERMINADO!
CLAS
¡UAH! ¡QUÉ RÁPIDO! SI YO TODAVÍA NI LA HE ABIERTO.

QUÉ PESADO. NO TENGO NADA QUE HABLAR CONTIGO.
NOS VE-MOS.
¡ESPERA! QUERÍA PRE-GUNTARTE ALGUNAS CO-SAS SOBRE BOXEO.
COMO TU DEFENSA TAN ELEGANTE, POR EJEM-PLO.
OH.
SEGÚN EL PRESIDENTE, TÚ Y YO SOMOS RIVALES, ¿SABES?
NO PUEDO AYUDAR A MI RIVAL.
NO DI-GAS ESO.
QUÉ MALO ERES, MIYATA.
JE.
BUENO, HABLAR DE BOXEO NO ME DESA-GRADA.
¿QUÉ QUERÍAS PREGUN-TARME?
¿DESDE CUÁNDO TIENES UN JUEGO DE PIERNAS TAN BUENO?
¿ES GRA-CIAS A QUE PRACTICAS BOXEO DESDE QUE ERES PE-QUEÑO?

SUPONGO... MI PADRE FUE BOXEADOR PROFESIONAL, DESPUÉS DE TODO...
CONQUE UN PADRE, ¿EH?
QUÉ ENVIDIA... YO NO TENGO PADRE...
¡UAH!
¡AH! ¡AH!
CLAN CLAN CLAN CLAN
...
...
¿QUÉ CLASE DE BOXEADOR ERA TU PADRE?
¿ERA UN ESTILISTA, IGUAL QUE TÚ?
ESO ES...
ERA DEL MISMO TIPO QUE YO...
AUNQUE YO TODAVÍA NO PUEDO SIQUIERA COMPARARME CON ÉL CUANDO AÚN ESTABA ACTIVO...

ESQUIVABA LOS GOLPES DE SUS OPONENTES COMO UN TORERO AL TORO.
ERA ALGO DIGNO DE VER.
DE PEQUEÑO SENTÍA UNA FUERTE ADMIRACIÓN POR ÉL.
SIN EMBARGO...
ÑUG...
EN EL ÚLTIMO ASALTO DEL COMBATE POR EL TÍTULO DE CAMPEÓN DE ASIA Y EL PACÍFICO...
...MI PADRE TENÍA LA VENTAJA POR PUNTOS, PERO UN SOLO PUÑETAZO DEL RIVAL ACABÓ CON SU VIDA COMO BOXEADOR.
LE ROMPIÓ EL HUESO DE LA BARBILLA.
Y ESO QUE, DESPUÉS DE CURARSE, PODRÍA HABER VUELTO A SUBIR AL *RING*.
PERO, MÁS QUE CON SU CUERPO, AQUEL GOLPE ACABÓ CON EL ESPÍRITU DE MI PADRE.

MI PADRE SIEMPRE HABÍA LAMENTADO LA FALTA DE FUERZA EN SUS GOLPES.
Y DESDE AQUEL DÍA NO FUE CAPAZ DE RECOMPONERSE.
POR MUCHA TÉCNICA QUE TENGAS, UN SOLO GOLPE Y ESTÁS ACABADO.
¡UN BOXEADOR DÉBIL NUNCA PODRÁ ESTAR EN LA CIMA!
NO DIGAS ESO. NO ES VERDAD.
TÚ ERES GENIAL, PAPÁ.
TU FORMA DE PELEAR NO ESTÁ EQUIVOCADA.
¡YO LO DEMOSTRARÉ!
¡EL ESTILO DE BOXEO DE MI PADRE NO ESTÁ EQUIVOCADO! BASTA CON UNA TÉCNICA QUE CUBRA LA FALTA DE FUERZA.
ESTA IDEA ME HIZO SEGUIR YENDO AL GIMNASIO.
ACABABA DESTROZADO TODOS LOS DÍAS.
ASÍ FUE COMO ME VOLVÍ CAPAZ DE USAR ESA TÉCNICA.

¡ME REFIERO AL COUNTER!
EL COUNTER ES MI TÉCNICA SECRETA.
ZAS
¡DEJARÉ KO A CUALQUIERA SIN DEPENDER DE LA FUERZA BRUTA!
LLEGARÉ A LA CIMA USANDO EL ESTILO QUE UN DÍA ADMIRÉ.
POR MI PADRE, QUE DEJÓ SUS SUEÑOS A MEDIAS.
¡Y TAMBIÉN POR MI PROPIO ORGULLO!
SI TÚ TRATAS DE DERRO-TARME CON TU FUERZA BRUTA, TE ESTARÉ ES-PERANDO.
¡PREPÁRATE, PORQUE PIENSO IR A DERRO-TARTE DESDE EL PRIMER ASALTO!

TSK. ME HE EMOCIONADO SIN DARME CUENTA.
¿POR QUÉ LE HABRÉ CONTADO ALGO COMO ESO?
YA VEO. EL COUNTER PARA MIYATA...
...ESTÁ CARGADO DE RECUERDOS IMPORTANTES.
...
ÑUG
ÑUUUG

PLOF
BAM
BAM
GIMNASIO DE BO
¡VAMOS! ¿QUÉ PASA?
¡APUNTA A LA BARBILLA!
¿ADÓNDE HA IDO TU GUARDIA?
BAM BAM BAM
BAM BAM BAM
BAM BAM BAM
PAF
FLOP
¿¡QUÉ HACES DESCANSANDO!?
¡ESPERO QUE NO PRETENDAS LLORARME DICIENDO QUE ESTÁS CANSADO!

NO QUIERO...
¿CÓMO DICES?
NO QUIERO SEGUIR CON ESTO.
QUIERO PELEAR HONESTAMENTE CONTRA MIYATA.
NO ME DIGAS QUE...
¿¡PRETENDES DEJARTE ATRAPAR POR EL COUNTER!?
LA...
LA OTRA VEZ DIJO QUE TAL Y COMO ESTOY EN ESTE MOMENTO, NO PODRÍA CONTRARRESTARLO. PERO ¿QUÉ PASARÍA SI ENTRENO MÁS?
¿AUN ASÍ NO TENDRÍA NINGUNA POSIBILIDAD?
NO QUIERO HUIR DEL COUNTER DE MIYATA.
QUIERO ENFRENTARME A ÉL CARA A CARA.

¡MALDITO CRÍO!
PAF
¡SI TAN DECIDIDO ESTÁS, HAGÁMOSLO!
PERO NI SE TE OCURRA LLORAR O QUEJARTE, ¿ME OYES?
¡PIENSO HACERTE ENTRENAR, AUNQUE SEA ARRASTRÁNDOTE!
¡SÍGUEME, MOCOSO!
GIMNASIO
KAMOGAWA
¡¡SÍ!!
BAM

HAJIME NO IPPO

Asalto 8: El entrenamiento del presidente

HAJIME NO IPPO

TAP TAP
TAP TAP
TAP TAP
TAP TAP
ARF... ARF... ARF...
ARF... ARF...
TAP
TAP
TAP
TAP
TAP
LO PRIMERO QUE DEBES HACER PARA LUCHAR CARA A CARA CON MIYATA...
TAP
TAP
...ES CORRER.
TAP
TAP
TAP
ARF...
ARF...
ARF...
VAS A DEDICAR LOS DOS MESES Y MEDIO RESTANTES A CORRER.
¡CORRE EN ZIGZAG! ¡VAMOS!
BRUUUM
¡SÍ!
TAP
ARF...
ARF...
ARF...
ARF...
ARF...
TAP
TAP
TAP
TAP
TAP
TAP
TAP

TEKE TEKE
TEKE TEKE
TAP TAP TAP TAP TAP
TAAAP
TAP TAP
TAP TAP TAP TAP
ARF... ARF... ARF... ARF... ARF...
TEKE TEKE
¡ARF!
¡ARF! ¡ARF!
FAS
¡AGH! ¡AGH!
¡AGH!
ARF ARF ARF ARF ARF
¡HMPF!
¿PREFIERES PELEAR HUYENDO DEL COUNTER?
PE... PERO ESTO ES DEMASIADO...
ARF... ARF... ARF... ARF...
ARF... ARF... ARF...
¿QUÉ TE PASA? ¿¡YA TE RINDES!?
¿¡ACASO LO DE LUCHAR CARA A CARA CON MIYATA ERA SOLO PALABRERÍA!?
PAS
PAS PAS
PAS PAS
¡UAH!

はぁ
はぁ
ARF...
ARF...
...
BRUOOOM
FLOP
FLOP
ARF... ARF... ARF...
ARF... ARF...
TOMP
TOMP
TOMP
FIUUM
GIMNASIO DE BOXEO KAMO
BAM
¡¡VAMOS CON LO SIGUIENTE!!
ARF...
ARF...
ARF...
ARF...
ARF...
BLEEEJ...
BLEEEJ...
TAP-TAP-TAP TAP
UGH...
¿EH? ¿YA?
NGH...

ESCUCHA, SI MIYATA CONSIGUE MANTENER SU *OUTBOXING*, ESTÁS ACABADO.
¡ASÍ QUE TIENES QUE PERSEGUIRLO Y PERSEGUIRLO! ¡NO PERMITAS QUE MARQUE DISTANCIAS!
DEBES MANTENERLO SIEMPRE DENTRO DE TU ALCANCE. ES POR ESO QUE TU CAPACIDAD PARA CORRER SERÁ ESENCIAL.
EL *OUTBOXING* CONSISTE EN BOXEAR MANTENIENDO LAS DISTANCIAS CON EL OPONENTE MEDIANTE EL JUEGO DE PIERNAS.
FAS
¿¡ME ESTÁS ESCUCHANDO!?
S... ¡SÍ!
PAS PAS PAS
DISCULPE...
¿CÓMO VOY A EVITAR EL *COUNTER*?
¿¡ES QUE NO TE HE DICHO YA QUE ES IMPOSIBLE!?
¡HAZ QUE TE DÉ!
PE... PERO DESPUÉS NO SERÉ CAPAZ DE MANTENERME EN PIE.
¡DEBES CAMBIAR EL PUNTO DE IMPACTO!
TIENES QUE LANZARTE HACIA ADELANTE Y HACER QUE TE DÉ EL GOLPE CUANDO EL BRAZO AÚN NO ESTÁ ESTIRADO DEL TODO. ASÍ AL MENOS LA FUERZA DEL IMPACTO SE REDUCIRÁ.
¡PARA ESO ES EL ENTRENAMIENTO DE CORRER!
AUNQUE NO PUEDO ASEGURAR QUE PUEDAS MANTENERTE EN PIE. ASÍ DE POTENTE ES EL *COUNTER*.
LA ÚNICA OPCIÓN PARA LUCHAR CARA A CARA CON MIYATA ES ENTRENAR TU RESISTENCIA A CORRER Y A LOS GOLPES.

¡FORTA-LECE TU CUELLO!
NGH...
ぐっ…
BRRR
BRRR BRRR
BRRR BRRR BRRR
BRRR BRRR
BRRR BRRR BRRR BRRR BRRR
BRRR BRRR BRRR
CLAC
ぐきっ
FLAP FLAP FLAP
ばたばたばた
...
¡AHO-RA EL TRON-CO!
PAF
¡AGUANTA TRES MI-NUTOS!
PAM
¿QUÉ TE PASA? ¡VAMOS!
¡UAAAH!
PAF PAF PAF
GRRR

MAYO
3
MAYO
ARF...
ARF...
ARF...
NORI-P
4
5
6
7
8
9
10
NORI-P
BLEEEJ...
¡APRENDE A LANZAR EL *UPPER* Y EL RECTO A CORTA DISTANCIA!
¡EN UN COMBATE CUERPO A CUERPO LOS GOLPES AMPLIOS NO SIRVEN!
¡DEBES LANZAR RÁFAGAS DE GOLPES CORTOS!
PAF
PAF
PAF
ARF...
ARF...
ARF...
¡VAMOS, VAMOS!
¿QUÉ HA PASADO CON TU GUARDIA? ¡ESTÁS TOTALMENTE DESCUBIERTO!
PAM
PAM
CON LA PRECISIÓN DE GOLPES DE MIYATA, AÚN SIGUES ESTANDO EN DESVENTAJA EN EL CUERPO A CUERPO.
¡DEBES LANZAR MÁS GOLPES QUE ÉL!
¡AGH!
¡AGH!
21
22
23

SHAAAA
SHA
ARF... ARF... ARF...
YA... NO PUEDO MÁS. SI SIGO ASÍ, MORIRÉ.
MI CUERPO SE VA A PARTIR MUCHO ANTES DE QUE LLEGUE EL DÍA DEL COMBATE.
¡MIS PUÑOS SON DINAMITA PURA!
¡PUM, PUM, PUM! NOQUEAN A CUALQUIERA, SIN IMPORTAR QUIÉN SEA.
CACHAC
¡ANDA, IPPO!
TA... TAKAMURA.
PARECE QUE EL PRESIDENTE TE ESTÁ PONIENDO AL LÍMITE, ¿EH?
TODO EL MUNDO SABE QUE VOMITAS TODOS LOS DÍAS.
AH, SÍ...
PERO ¿QUÉ HACES CON ESA TOALLA? ¡EL GIMNASIO ES EL REINO DE LOS TÍOS! ¡NO TENGAS VERGÜENZA, HOMBRE!
¡MIRA CÓMO SALTA! ¡BOING, BOING!
¡SI ERES UN HOMBRE, ENTONCES LLÉVALO AL AIRE!

PERO ES QUE...
¿ACASO PIENSAS LLEVARME LA CONTRARIA?
¿NO SERÁ QUE LA TIENES PEQUEÑA?
¿SERÁ COMO UNA PAJITA?
FAS
¡UAH, JA, JA, JA, JA! ¡MIRAD TODO EL MUNDO!
TAAAP
¡UAAH, PARA POR FAVOR TAKAMURA!
¡IPPO MAKUNOUCHI DEBUTA EN LOS PESOS PAJITA!
¡REÍOS TODOS!
FAS
FSSS
IPPO RESULTÓ SER UN PESO PESADO.
GIMNASIO DE
¡ERES MUY CRUEL, TAKAMURA!
NO TE PONGAS ASÍ, HOMBRE. SOLO ESTABA DE BROMA.
LA DUCHA DE DESPUÉS DEL ENTRENAMIENTO ES LO MEJOR, ¿NO CREES?
TE QUITA TODO EL CANSANCIO DE ENCIMA.

PERO ¿QUÉ DICES? ME ASEGURARÉ DE NO VOLVER A COINCIDIR CONTIGO EN LA DUCHA.
TSK.
NO DIGAS ESO, HOMBRE.
DENTRO DE POCO, NI SIQUIERA PODRÉ DUCHARME.
¿EH?
中華
COMIDA CHINA
¡HOY VAMOS A COMER FIDEOS *RAMEN* POR ÚLTIMA VEZ! ¡TE INVITO, ASÍ QUE VEN CONMIGO!
AH, CLARO.
¡BIENVENIDOS!
¡PERO SI SON TAKAMURA Y EL NUEVO!
AH.
ES AOKI, EL BOXEADOR DE SEIS ASALTOS DE NUESTRO GIMNASIO.

AUNQUE PARA SER DE SEIS ASALTOS NO ES MUY FUERTE.
TAKAMURA, ESO ES UN SECRETO.
TRA... ¿TRABAJAS AQUÍ?
ALGO ASÍ, AUNQUE SOLO A TIEMPO PARCIAL.
AUNQUE SOY BOXEADOR PROFESIONAL, SIENDO DE SEIS ASALTOS NO SE GANA MUCHO.
MI SUEÑO ES GANAR DINERO BOXEANDO PARA ALGÚN DÍA PODER TENER MI PROPIO RESTAURANTE. UNO NO TAN CUTRE.
AUNQUE NO SÉ CUÁNDO SERÁ ESO.
FLIP
ギロ…
NO DEBÍ DECIR LO DE CUTRE, PERDÓN.
¡UAAAH!
¡BUENÍSIMO!
PARA SER TAN MALO BOXEANDO ERES UN CAMPEÓN PREPARANDO RAMEN.
QUÉ CRUEL ERES CONMIGO.
JA, JA, JA.
¡HA QUEDADO UN FIDEO! NO VOY A PODER PROBARLOS EN UN TIEMPO, ASÍ QUE NO PIENSO DEJAR NI UNO.
SLUUURP

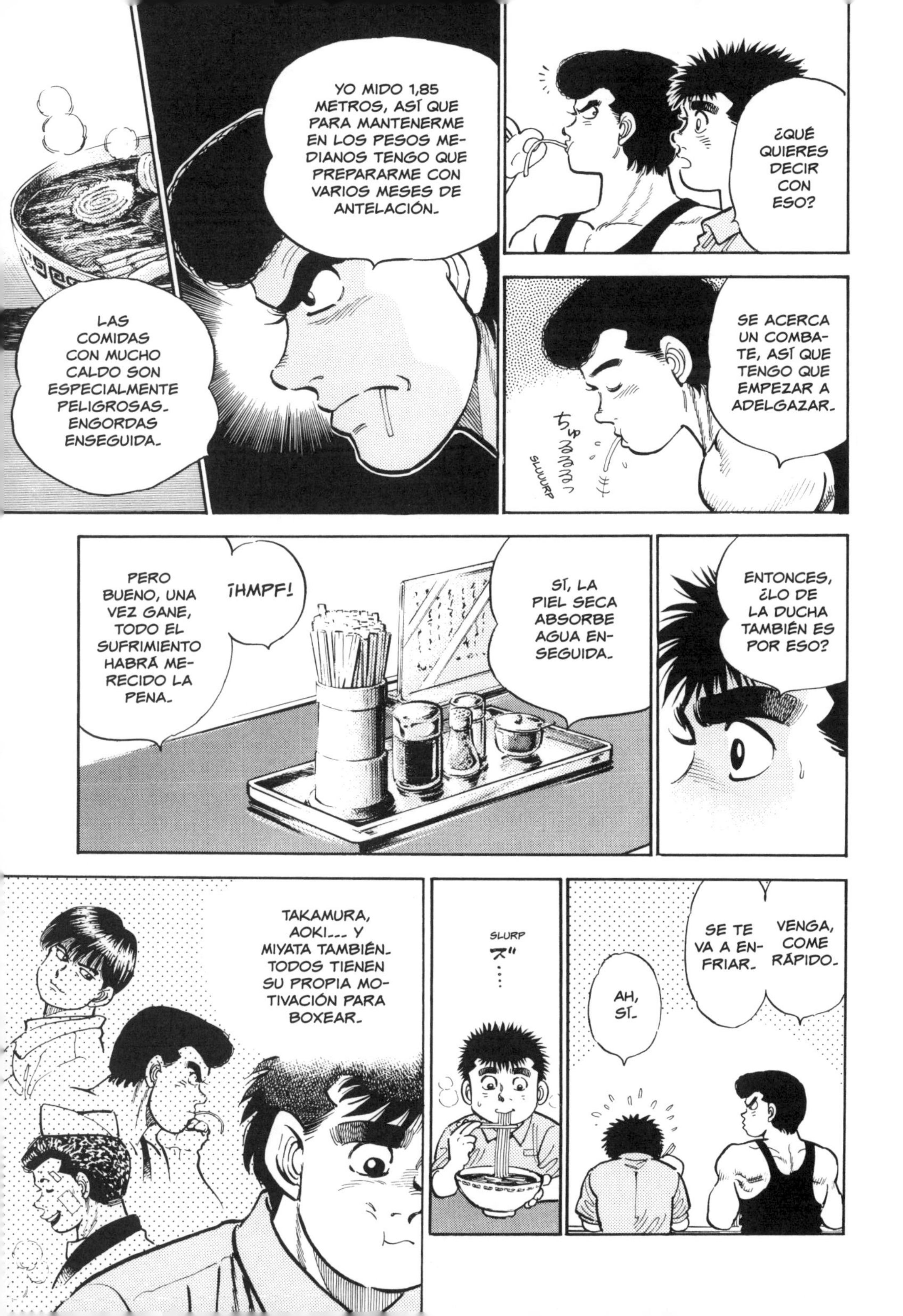

¿QUÉ QUIERES DECIR CON ESO?
SE ACERCA UN COMBATE, ASÍ QUE TENGO QUE EMPEZAR A ADELGAZAR.
ちゅるるるっ
SLUUURP
YO MIDO 1,85 METROS, ASÍ QUE PARA MANTENERME EN LOS PESOS MEDIANOS TENGO QUE PREPARARME CON VARIOS MESES DE ANTELACIÓN.
LAS COMIDAS CON MUCHO CALDO SON ESPECIALMENTE PELIGROSAS. ENGORDAS ENSEGUIDA.
ENTONCES, ¿LO DE LA DUCHA TAMBIÉN ES POR ESO?
SÍ, LA PIEL SECA ABSORBE AGUA ENSEGUIDA.
¡HMPF!
PERO BUENO, UNA VEZ GANE, TODO EL SUFRIMIENTO HABRÁ MERECIDO LA PENA.
VENGA, COME RÁPIDO.
SE TE VA A ENFRIAR.
AH, SÍ.
SLURP
ズ…
TAKAMURA, AOKI... Y MIYATA TAMBIÉN. TODOS TIENEN SU PROPIA MOTIVACIÓN PARA BOXEAR.

CON TODAS LAS DIFICULTADES QUE TIENEN QUE SOPORTAR, NO LO MUESTRAN EN ABSOLUTO.
DEBE DE GUSTARLES MUCHO EL BOXEO.
¡YO TAMBIÉN...!
¡...TENGO QUE ESFORZARME MUCHO MÁS!
はふ はふ
はふ はふ
ÑUM ÑUM ÑUM
¡VAMOS, CORRE MÁS RÁPIDO!
¡CON UN CUELLO TAN DÉBIL NO PODRÁS RESISTIR EL GANCHO DE MIYATA!
...
¡UN MINUTO MÁS!
Y ASÍ PASARON DOS MESES.

TAP TAP TAP TAP TAP
TAP TAP TAP TAP TAP TAP TAP TAP
NORI-P
TAP
¡CORRE EN ZIG-ZAG!
¡ST!
NORI-P
TAP TAP TAP TAP TAP
¡BIEN! ¡SIGUIENTE EJERCICIO!
¡ST!
BAM

FLOP...
くにゃ・・・
¡¡NGH!!
ぐいっ!!
FLOP...
くにゃ・・・
¡SI-GUIEN-TE!
¡SÍ!
がんっ!!
PAM
POM
がんっ
がんっ
BAM
~~~
¡MUY BIEN, HAN PASADO TRES MI-NUTOS!
~~~

PAF
BAM
BAM
BAM
¡NGH!
くっ
¡UGH!
うおっ
BAM
BAM
BAM
PAAAM
FUOM
さっ
ZAS
UGH...
¡UOOOH!
E... ¡ESPERA UN MOMENTO!
PAM PAM
PAM PAM
PAM PAM
FLOP
¡AGH!

TSK... QUÉ *UPPERCUT* TAN POTENTE...
~~~~
HEMOS TERMINADO POR HOY...
BR BR BR BR BR
¿EH?
FAS FAS FAS
ARF... ARF... ARF... ARF... ARF...
CÓMO SUENAN ESAS GUANTILLAS...
HAY QUE RECONOCERTE EL ESFUERZO DE SEGUIR USANDO LAS GUANTILLAS SIN ACOLCHAR, VIEJO...
ARF... ARF... ARF... ARF... ARF...
IDIOTA...
?
KAMOGAWA BOXING
SHAAA
KAMOGAWA BOXING GYM
¡HACE TIEMPO QUE DEJÉ DE USAR LAS GUANTILLAS SIN ACOLCHAR!
JU, JU, JU...
BR BR BR BR BR BR
CREO QUE YA HA LLEGADO EL MOMENTO...
~~~~

ENTENDIDO.
MAÑANA ENTONCES.
JE.
¿MAÑANA?
ESO ES. MAÑANA SERÁ EL *SPARRING* CON ESE MOCOSO.
¡AUNQUE SEAS SUPERIOR A ÉL, NI SE TE OCURRA CONTENERTE! ¡VE A POR ÉL EN CUANTO SUENE LA CAMPANA!
ESPERO QUE YA HAYAS CAPTADO EL MOMENTO PARA LANZAR EL *COUNTER* CONTRA UN *UPPERCUT*.
PERFECTAMENTE.
CUANDO ME LANCE SU *LONG UPPERCUT*...
PAF
FUUUM
¡¡... SERÁ SU FINAL!!
PLOC
¿TODAVÍA SIGUES AQUÍ?
ES QUE HAY ALGO QUE ME PREOCUPA...
PAF PAF PAF
PAF PAF

DE ACUERDO. ¡DARÉ LO MEJOR DE MÍ!
¿MAÑANA?
¡¿EH?!
COMO SEA...
HEMOS HECHO TODO LO QUE PODÍAMOS. YA SOLO QUEDA ESPERAR A QUE SUENE LA CAMPANA.
ドドド
PAM PAM PAM
...ES SORPRENDENTE QUE HAYA AGUANTADO ESE ENTRENAMIENTO.
KAMOGAWA BOXING GIM
¿CUÁNTO HABRÉ...?
¿...MEJORADO EN ESTOS TRES MESES?
BR BR BR BR BR BR BR BR BR BR BR BR BR
¡MAÑANA, CUANDO SUENE LA CAMPANA...!
¡...LO SABREMOS!

HAJIME NO
¡DING DONG! ¡DING DONG!
TAP TAP TAP
Asalto 9: La campana de la revancha
TAP TAP TAP
BR BR BR BR BR BR BR BR BR BR BR BR BR

¡YA ESTOY EN CASA!
¿QUÉ VAMOS A USAR DE CEBO HOY? ¡VAMOS! ¡DEPRISA!
BARCOS DE PESCA MAKU
TEL 012-
¿POR QUÉ TIENES TANTA PRISA?
BUENO, METE ESAS GAMBAS DE AHÍ...
¡VALE!
BRRR BRRR
PERO ¿QUÉ HACES?
¡HE DICHO GAMBAS!
AH...
HOY TIENES UN EVENTO IMPORTANTE EN EL GIMNASIO, ¿VERDAD?
NO TE PREOCUPES Y VETE YA.
BARCOS DE PESCA
AUNQUE TE QUEDASES, NO PODRÍAS CONCENTRARTE DE LOS NERVIOS.
OYE, MAMÁ...
¿CREES...?
PS
¿...QUE HE CAMBIADO ALGO EN LOS ÚLTIMOS TRES MESES?
¡OLVÍDALO!
¡NO ES NADA!

IPPO, DÉJAME QUE TE ENSEÑE ALGO.
ESTO ES UN TRUCO QUE USABA TU PADRE.
¿UN TRUCO?
TU PADRE SE PELEABA A MENUDO, Y USABA ESTE TRUCO CUANDO SE ENFRENTABA CON ALGUIEN MÁS FUERTE.
DECÍA QUE SE IMAGINABA LA CARA DEL OPONENTE COMO UN PESCADO QUE SE LE PARECIERA.
HMMM...
¡ESE TIPO ES UN ATÚN! ¿QUÉ CLASE DE MARINERO LE TIENE MIEDO A UN ATÚN?
DECÍA QUE ASÍ CONSEGUÍA RELAJARSE POR COMPLETO.
SUENA COMO ALGO QUE HARÍA ÉL.
PFFF
¿VERDAD?
JA, JA, JA
¡GRACIAS, MAMÁ!
¡NOS VEMOS LUEGO!

...
HMMM...
ボリ ボリ
RAS RAS
BRUOOOM
¿HAY ALGÚN NOVATO QUE LE RESULTE INTERESANTE?
¡HMPF!
SON TODOS UNOS ENCLENQUES.
KUSHIKEN Y JIRÔ WATANABE OLÍAN A CAMPEONES DEL MUNDO DESDE QUE ERAN NOVATOS.

¡MIRA QUÉ EDIFICIOS TAN ALTOS! ¡Y TODOS LOS COCHES SON DE ALTA GAMA!
JAPÓN ES UN PAÍS FANTÁSTICO. TIENE DE TODO. UN LUGAR ASÍ NO SE ENCUENTRA FÁCILMENTE.
PERO INCLUSO JAPÓN TIENE ALGO QUE LE FALTA. ¿SABES EL QUÉ?
NI IDEA.
ME PREGUNTO QUÉ SERÁ.
GRRR
GRRR-GRRR
¡LE FALTA UN CAMPEÓN MUNDIAL, IDIOTA!
ÑIIC ÑIIC ÑIIC ÑIIC ÑIIC
¡LE FALTA EL CINTURÓN DE CAMPEÓN!
¡UAAAH!
¡OH!
PARA AQUÍ UN MOMENTO.
AQUÍ ENTRENA UN NOVATO LLAMADO ICHIRÔ MIYATA.
AÚN NO HA HECHO SU DEBUT COMO PROFESIONAL, PERO TIENE MUCHO POTENCIAL.
GIMNASIO DE BOXEO
ÑIIIC

PERO SI ES EL SEÑOR FUJII, DE LA REVISTA *MONTHLY BOXING FAN*...
¿QUÉ LE TRAE HOY POR AQUÍ?
FIUM FIUM
PAF PAF
BUENAS TARDES...
EN ESTOS MOMENTOS ESTAMOS REALIZANDO UN REPORTAJE SOBRE LOS NOVATOS PROMETEDORES...
Y ESTOY SACANDO UN PRIMER PLANO DE LA ESTRELLA DE CADA GIMNASIO...
¿LE IMPORTA QUE LE HAGA UNAS PREGUNTAS A MIYATA?
BUENO... VERÁ, HOY NO ES UN BUEN DÍA...
FAS FAS
¿HM?
QU... ¿QUÉ HACES ASÍ VESTIDO, TAKAMURA?
HM...
VOY A HACER DE ÁRBITRO DE UN *SPARRING* EN EL *RING* DEL SUBSUELO...
PARECE QUE LA COSA VA A PONERSE SERIA, ASÍ QUE HAY QUE IR ELEGANTE...
¡SE LO HA DICHO!
¿MIYATA VA A PELEAR?
HOY ES MI DÍA DE SUERTE...

LE PROMETO QUE SACARÉ BUENAS FOTOS. NOS DA PERMISO, ¿VERDAD?
¿VERDAD?
ES UN COMBATE ENTRE NUESTROS DOS JÓVENES TALENTOS, ASÍ QUE NO QUERÍA QUE ENTRASE NADIE EXTERNO, PERO...
VAYA, VAYA.
ESO SIGNIFICA QUE HAY OTRO JOVEN TALENTO APARTE DE MIYATA.
FSSS
...
...
¡GUAU! TODO EL MUNDO SE HA QUEDADO EN SILENCIO. SI SOLO ES UN *SPARRING*.
¡TÚ CÁLLATE!
CONQUE ESE CHICO ES EL ARMA SECRETA DEL GIMNASIO KAMOGAWA.
NO PARECE NADA FUERTE.
TSK.
BUENO, YO HE VENIDO POR MIYATA. SI EL OTRO ME DECEPCIONA NO ME IMPORTA EN ABSOLUTO.
POR EL MOMENTO VEAMOS DE QUÉ ES CAPAZ.

LAS REGLAS SON LAS MISMAS QUE LA OTRA VEZ: CUATRO ASALTOS Y TRES KNOCK DOWN POR ASALTO.
BR BR BR BR BR BR BR
ESTA VEZ NO USARÉIS CASCO, Y LOS GUANTES SERÁN DE OCHO ONZAS COMO EN UN COMBATE REAL.
¡TOMÁOSLO COMO SI FUERA UN COMBATE REAL Y MOSTRAD TODO LO QUE TENÉIS!
VAMOS A EMPEZAR.
BR BR BR BR BR BR BR BR
S... ¡SÍ!
JE...
NO... NO PUEDO MÁS. SE ME VA A SALIR EL CORAZÓN POR LA BOCA.
BR BR BR BR BR BR BR
MANTENERME DE PIE ES LO MÁXIMO QUE PUEDO HACER.
UN...
BR BR BR BR BR BR BR BR BR
¡UN PEZ!

¡ESO ES! ¡IMAGINA QUE ES UN PEZ!
HMMM...
¡ES INÚTIL! ¿CÓMO VA A HABER UN PEZ TAN ELEGANTE?
¡NO SE ME OCURRE NADA!
¡AH!
HM...
PFFF
POF
ESCUCHA BIEN: NO TIENES RAZONES PARA DUDAR.
¡SOLO TIENES QUE HACER LO QUE HAS ESTADO PRACTICANDO HASTA AHORA!
¡MUÉSTRAME LOS RESULTADOS DE ESTOS TRES MESES!
¡¡ST!!
ESTÁ MUCHO MÁS TRANQUILO DE LO QUE ESPERABA.

VEAMOS CUÁNTO HAS MEJORADO EN ESTOS TRES MESES.
BUE-NO...
NO DUDES. NO DUDES.
SOLO TENGO QUE HACER LO QUE HE ESTADO PRACTICANDO HASTA AHORA.
BLA BLA BLA
ZAS
¡BIEN!
¡SEGUNDOS FUERA!
CLA
ZAS
CLACLA
ZAS
DIIING

FAS
¡IPPO ES EL PRIMERO EN ATACAR!
¡NO PUEDO DEJAR QUE MIYATA TOME DISTANCIA!
¡DEBO MANTENERLO SIEMPRE DENTRO DE MI ALCANCE!
¡ATRÁPAME SI PUEDES!

¡UOOH!
FIUM
ZUM
FIUM
FIUM
TAP
TAP TAP

FIUM
TAP
FIUM
TAPTAP
FIUM
FIUM
FIUM
¡SU JAB ES IMPRESIONANTE! ¡PERO EL JUEGO DE PIERNAS DE MIYATA LO SUPERA!
FIUM
HA MEJORADO DESDE LA ÚLTIMA VEZ QUE LO VI. AHORA UN PROFESIONAL DE SEIS ASALTOS NO PODRÍA NI TOCARLE.

NO ESTÁ NADA MAL...
SE NOTA QUE HAS CORRIDO MUCHO...
ES INCREÍBLE...
DURANTE EL BOXEO DE SOMBRAS SIEMPRE LO ATRAPABA...
LA IMAGEN Y EL REAL SON TOTALMENTE DISTINTOS...
¡CÁLMATE! ¡CÁLMATE!
¡RECUERDA LO QUE HAS ESTADO ENTRENANDO!
TATAP
FAS
¡TAP!
¡HA CRUZADO LAS PIERNAS!
¡VA A SALTAR HACIA UN LADO!
PERO ¿HACIA DÓNDE?
¡UGH! ¡ERA EL OTRO LADO!
ES... ¡ESTA VEZ SÍ!
FAS
ÑIIIC
TIENE LA PIERNA IZQUIERDA DELANTE.

TATAP
¿HM?
¡TAP!
¡ES AQUÍ!
FAS
ESTE TIPO...
UN MO-MEN-TO...
NO PARECE UN NOVATO EN ABSO-LUTO.
¡GUAU! SIEMPRE HE PENSADO QUE ERA GENIAL, PERO EL JUEGO DE PIERNAS DE MIYATA ES VER-DADERAMENTE INCREÍBLE.
QUÉ BIEN GUARDADO LO TENÍA. DE NORMAL NO MUESTRA ESA TÉCNICA DURANTE LOS SPA-RRING.
SI ESTÁ HACIENDO ALGO QUE NO NECESITA HACER DE HABITUAL...
¿...ESO QUIERE DECIR QUE ESTÁ SIENDO FORZADO A HACERLO?
¿POR ESE CHAVAL?

SERÁ...
FIUM
HA APRENDIDO A PREDECIR MIS MOVIMIENTOS.
FIUM
ZUM
¡BIEN! ¡LA DISTANCIA CON MIYATA SE VA ACORTANDO POCO A POCO!
ZUM ZUM
NGH.
ZUM
UGH...
ZUM
TSK. YA SABÍA QUE SU RÁFAGA DE GOLPES ERA INTERMINABLE.
PERO AL INCLUIR EL *SHORT UPPERCUT* SE VUELVE MUCHO MÁS PROBLEMÁTICA.
PAF
PAF
PAF
JU, JU, JU.
¡LA POSICIÓN DE GUARDIA ES DÉBIL CONTRA LOS ATAQUES DESDE ABAJO!
MIYATA, ¿CUÁNTO TIEMPO MÁS PODRÁS ESQUIVAR LOS GOLPES?
GRRR...

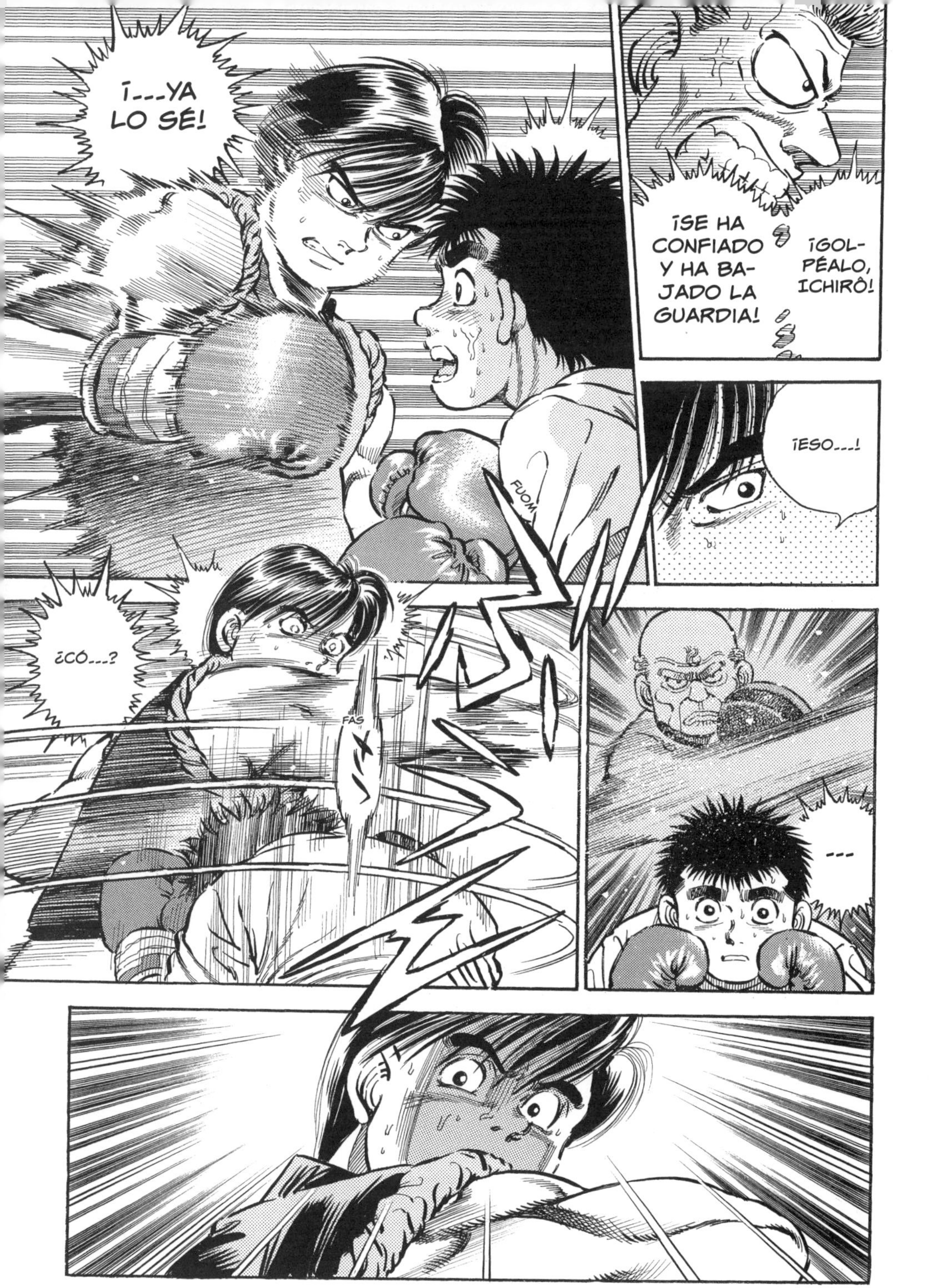
¡SE HA CONFIADO Y HA BAJADO LA GUARDIA!
¡GOLPÉALO, ICHIRÔ!
¡---YA LO SÉ!
¡ESO---!
FUOM
¿CÓ---?
FAS

PAF
PAF

ドス…
FLAP

ZAS
¡HA CAÍDO!
¡VUELVE A LA ESQUINA NEUTRAL, VAMOS!
MI...
MI GOLPE LE HA DADO.
¡LE HA DADO POR PRIMERA VEZ!
¡UNO!
¡DOS!
¡TRES!

Asalto 10: Un valiente paso adelante

ESE MOCOSO... LE HA DADO DE LLENO EN LA CARA A MIYATA.
DESDE QUE VINE POR PRIMERA VEZ COMO REPORTERO A ESTE GIMNASIO...
...ES LA PRIMERA VEZ QUE VEO A MIYATA CAER AL SUELO.
U...
¡UUUAAAH!
¡UOOOOH!
¡ASÍ SE HACE, NOVATO!
わあああ
¡ACABA DE CONSEGUIR UN *KNOCKDOWN* CONTRA MIYATA!
¡CINCO!
¡SEIS!

¡SIETE!
¡OCHO!
¡AH!
¡NU...!
¡UOH!
FAMP
¡ICHIRÔ! ¿ESTÁS BIEN?
POR FAVOR. SOLO ME HE CAÍDO PORQUE ME HA GOLPEADO JUSTO CUANDO ESTABA DESEQUILIBRADO. NO ME HA HECHO NADA.
FRAS
PUEDO SEGUIR. PUEDO SEGUIR.
¡DE ACUERDO!

¡UOOOH!
¡A LUCHAR!
¡SE HA LEVANTADO!
FAS
¡A POR ÉL, NOVATO!
¡NO LE DEJES RESPIRAR!
ASÍ ESTÁ BIEN.
¡NO DUDES!
PARECE QUE LO HABÍA SUBESTIMADO.
YA NO ES EL MISMO QUE HACE TRES MESES.
GRACIAS POR ABRIRME LOS OJOS.
ZUM
ZUM
¡SÍ!
PAS
¡UNO!
FIUM
FAS
¡DOS!

ZAS
¡NO SOY TAN TONTO COMO PARA CAER EN LO MISMO DOS VECES!
¡YA NO ME VOLVERÁS A COGER DESPREVENIDO!
BANG
UGH...
FAS
¡UAH!
¡ESTA VEZ HA CAÍDO EL NUEVO!
LE HA DADO DE LLENO EL COUNTER.
PLAF
¡ESTO ES IGUAL QUE HACE TRES MESES!

¡UNO!
¡DOS!
¡TRES!
CONQUE UN COUNTER, ¿EH?
LA TÉCNICA FAMILIAR ESTÁ TAN PULIDA COMO DE COSTUMBRE.
ESTO ESTÁ DECIDIDO.
ME HABÍAS PREOCUPADO.
HAY QUE VER...
ZAS
¡CUA...!
BLINK
BRRR BRRR BRRR BRRR BRRR
FRAS
FRAS

CIIINCO...
SEEEIS...
FLOP
¡UGH!
PAF
¡PUEDO SEGUIR! ¡ESTOY BIEN!
ÑUG
VA... VALE.
¡UOOOH!
¿CÓMO DICES?
¡ESO ES! ¡ESTOS TRES MESES DE ENTRENAMIENTO ESTÁN DANDO SUS FRUTOS!
LA ESTRATEGIA CONTRA EL *COUNTER* HA FUNCIONADO.
ÑUG
LA ÚLTIMA VEZ EL IMPACTO LO DEJÓ INCONSCIENTE.
PERO ESTA VEZ APENAS LE HA HECHO DAÑO.
FRAS
¡¡ESTOS TRES MESES NO HAN SIDO EN VANO!!

EL ENTRENAMIENTO CONTRA EL COUNTER DEL PRESIDENTE...
NUG
¡...ESTÁ DANDO RESULTADO!
¡A LUCHAR!
¡A POR ÉL, IPPO!
¡SÍ!
FAS
TOMP TOMP
¿CÓMO PUEDE ESTAR TAN NORMAL DESPUÉS DE RECIBIR EL COUNTER DE MIYATA?
SI LA ÚLTIMA VEZ LO DEJÓ EN EL SITIO.
NO LO ENTIENDO. MIYATA NO HA COMETIDO NINGÚN ERROR.
ESTABA SEGURO DE QUE LE HABÍA DADO DE LLENO.
¡EL GOLPE HA SIDO FLOJO! LO HABÍA GOLPEADO EN EL MOMENTO PERFECTO, Y AUN ASÍ NO HE SENTIDO SUFICIENTE RESISTENCIA.
¿ME HABRÁ FALTADO IMPULSO?
¿O NO LO HABRÉ ATRAÍDO LO SUFICIENTE?
COMO SEA, ¡ACABARÉ CON ÉL CON EL PRÓXIMO GOLPE!

PAS
PAS
ZUM
ZUM
ZAS
¡TAMBIÉN SE HA VUELTO MÁS RESISTENTE! POR MUCHO QUE TRATE DE DETENERLO CON MI JAB, ÉL SIGUE AVANZANDO...
FUOM
...
¡TENGO QUE AVANZAR!
SI PERMITO QUE TOME DISTANCIA, SERÉ PRESA DEL OUTBOXING DE MIYATA.
¡UOOOH!
PAF
FIUM
FIUM

¡UUGH!
NUNCA HE VISTO A MIYATA ASÍ.
¿QUÉ ESTÁ PASANDO?
¡SON LAS PIERNAS!
AOKI...
MIYATA PELEA MANTENIENDO SIEMPRE LAS DISTANCIAS CON SU OPONENTE.
SIN EMBARGO, EL NUEVO NO PARA DE ACERCARSE A ÉL Y NO LE PERMITE HACER ESO.
ADEMÁS, MIRAD QUÉ RÁFAGA DE GOLPES. NI SIQUIERA MIYATA PUEDE ESQUIVARLOS TODOS.
LO SÉ PORQUE SIEMPRE HAGO *SPARRING* CON ÉL.
EL TRUCO CONTRA MIYATA ES CONTINUAR AVANZANDO SIEMPRE.
YA ENTIENDO. Y COMO NO PUEDES HACERLO, TÚ SIEMPRE PIERDES CONTRA ÉL.
SI SABES LO QUE HAY QUE HACER, ¿POR QUÉ NO LO HACES?
¡IDIOTAS! ¡ENTONCES MIYATA PODRÍA LANZAR UN *COUNTER*!
¡NO TENÉIS NI IDEA DE LO ATERRADOR QUE ES ESO!

PAS
ASÍ ES... SI AFLOJASE EL RITMO SOLO UN POCO, EL *COUNTER* LO GOLPEARÍA COMO UNA FLECHA...
ESTA FORMA DE PELEAR REQUIERE MUCHO VALOR...
PAF
¡OOOH!
¡LE HE DADO! ¡LE ESTOY DANDO!
¡ESO ES! ¡SIGUE ASÍ!
¡UAH! ¡UAH!
わあ わあ
¡ACABA CON ÉL!
NO TE EMOCIONES DEMASIADO...
¡UAH! ¡UAH! ¡UAH!
FAS
¡AGH!
¡MIYATA SE HA DESEQUILIBRADO!

¡RECTO DERECHA!
¡ICHIRÔ!
FUOOM
FIUM
¡EL MOMENTO ES PERFECTO!
ESTA VEZ LO HE ATRAÍDO PERFECTAMENTE...
ÑUG
JE...
¡TE TENGO!
¡OH, NO!
¡SI LE DA, ESTÁ ACABADO!

NIAC
PAM
¡LE HA DADO! ¡ESTÁ ACABADO!
¡ÁAAAGH!

GRRR
FLAP

PLOC

PAM
PLAF
NGH...
¡HA CAÍ-DO!
FAS
¡VUELVE A LA ESQUI-NA!
¡UNO!
¡DOS!

わああ
¡UAAAH!
¡LO HA VUELTO A HACER!
¡QUÉ FUERZA!
NO ENTIENDO MUY BIEN QUÉ ESTÁ PASANDO, PERO ERES INCREÍBLE.
¿¡HAS VISTO ESO!?
¿EH? AH, SÍ. HA VUELTO A CAER AL SUELO.
¡¡NO ES ESO!!
¡ME REFIERO A ANTES DE QUE LE DIERA EL *COUNTER*!
¡SE HA LANZADO HACIA EL PUÑO ÉL MISMO! HA CAMBIADO EL PUNTO DE IMPACTO DEL GOLPE.
¡AL RECIBIR EL GOLPE CUANDO EL BRAZO DE MIYATA TODAVÍA ESTÁ DOBLADO, CONSIGUE REDUCIR EL IMPACTO!
HA DEBIDO ENTRENAR MUCHO LAS PIERNAS.
¡Y QUÉ ESTRATEGIA MÁS VALIENTE PARA CONTRARRESTAR EL *COUNTER*!
¡NO SOLO ESTÁ AVANZANDO PARA ATACAR!
¡TAMBIÉN LO HACE PARA DEFENDERSE DEL *COUNTER* DE MIYATA!

NO PUEDE SER. JAMÁS HUBIERA PENSADO QUE USARÍA UNA ESTRATEGIA ASÍ CONTRA EL *COUNTER*.
ANTES HA CAÍDO PORQUE HABÍA PERDIDO EL EQUILIBRIO, PERO ESTA VEZ ES DISTINTO.
HA RECIBIDO UN BUEN GOLPE.
¡¿PODRÁ LEVANTARSE!?
¡TRES!
¡CUATRO!
¡CINCO!
¡ARF! ¡ARF!
¡ARF!
PLIC
BRRR
¡UAAAH!
¡BIEN! ¡A LUCHAR!
¡LE TIEMBLAN LAS PIERNAS!

OOOH...
¿PUEDES SEGUIR?
GLUP
ARF...
ARF...
¡VAMOS! ¡DALE UNO MÁS!
¡¡SI CONSIGUES TUMBARLO OTRA VEZ, LA VICTORIA ES TUYA, NOVATO!!

¿YO...?
¿...PUEDO GANAR?
¡VA-MOS!
¡VA-MOS!
¡VE A POR ÉL!
SI MIYATA ESTUVIERA EN PLENAS CONDICIONES, EL GOLPE RESULTARÍA DEMASIADO LENTO COMO PARA DARLE.
ÑUG
¡PERO AHORA PUEDE FUNCIONAR! TENGO QUE USAR EL GOLPE POR EL QUE EL PRESIDENTE ME ELOGIÓ, MI MEJOR GOLPE.
¡EL UPPER-CUT!
¡PUEDO HACERLO!
¡UAAAH!
わあああ

Asalto 11: ¡Una oportunidad!

¡UAH!
PERSEVERANCIA
¡UAH! ¡UAH!
ARF... ARF...
TAP TAP
ARF...
FIUM
TEKE TEKE
ME ESTOY QUEDANDO SIN OPCIONES. CÁLMATE.
ARF...
¡CÁLMATE!
ARF...
ARF...
UGH...
FAS
¡MIERDA!
¡EL UPPERCUT!
¡VA A LANZAR UN UPPERCUT!
¡TENGO QUE BLOQUEARLO!
¡NO! ¡TENGO QUE CONTRAATACAR!
¡AHORA!

PSSS

PLOC

¡BLAM!

...
¡UNO!
¡DOS!
TEKE-
UAH...
UAH...
¡GUAU! ¡HAN VUELTO A CAMBIAR LAS TORNAS!
¡MIYATA SE HA PUESTO SERIO!
¡MENUDO TIPO!
UAH...
¡ARF!
¡ARF! ¡ARF!

JAMÁS PENSÉ QUE LANZARÍA UN COUNTER CONTRA EL UPPERCUT.
¡DESDE LA POSICIÓN DE FINALIZACIÓN DEL LONG UPPERCUT NO SE PUEDE USAR LA ESTRATEGIA CONTRA EL COUNTER! ¡LE HA DADO DE LLENO!
¿PODRÁ LEVANTARSE?
¡TRES!
¡CUATRO!
AGH...
AAAH...
¡CINCO!
NGH
¡SEIS!
ゴロゴロ
ROLONC ROLONC
¡SIETE!
PA-RECE QUE NO...
¡OCHO!
はあ はあ
ARF... ARF...
はあ
ARF...
~~~~~~~~
~~~~~~~~

OOOH...
OOOH...
TEKE TEKE TEKE TEKE TEKE
ぶる ぶる ぶる ぶる ぶる
TEKE TEKE
TEKE TEKE TEKE
DIIING
¿HM?
¡FINAL DEL PRIMER ASALTO!
ZAS
はあっ はあっ
UGH...
ARF... ARF...!!
ふら ふら
TEKE TEKE
¡AGH! ¡AGH!
¡OOOH!

¡UAH! ¡UAH! ¡UAH!
¡NO ME LO PUEDO CREER! ¡SE ME HA PUESTO LA PIEL DE GALLINA!
¡AMBOS HAN CONSEGUIDO TUMBAR DOS VECES A SU OPONENTE EN EL PRIMER ASALTO!
¡UAH!
MALDICIÓN, QUÉ CERCA HA ESTADO. LA IDEA DE HACER UN *COUNTER* CONTRA EL *LONG UPPERCUT* ERA PERFECTA.
¡UAH! ¡UAH!
MIS PIERNAS ESTABAN ENTUMECIDAS DEL GOLPE CON EL QUE ME HABÍA TUMBADO ANTES.
DE NO SER POR ESO HABRÍA ACABADO CON ÉL CON ESTE GOLPE.
はあっ はあっ
ARF... ARF...
¡ARF! ¡ARF!
YA NO ES EL MISMO QUE HACE TRES MESES.
YA NO PIENSO BAJAR LA GUARDIA. A PARTIR DE AHORA VOY A IR EN SERIO.
GRRR
ICHIRÔ...

¡ASÍ SE HACE, MIYATA!
¡UAH! ¡UAH!
¡EL NUEVO TAMPOCO LO HACE NADA MAL!
¡ES SORPRENDENTE QUE HAYA MEJORADO TANTO EN TRES MESES!
TEKE TEKE
UPS.
PENSÉ QUE YA NO PODRÍAS LEVANTARTE. BIEN HECHO.
AMBOS HABÉIS CAÍDO DOS VECES. ESTÁIS EMPATADOS.
¡UAH! ¡UAH!
¡AGH! ¡AGH!
ES INCREÍBLE. MIYATA ES SORPRENDENTE DESPUÉS DE TODO.
ARF... ARF...
はあっ はあっ
SE HA SACADO UN AS DE LA MANGA EN EL ÚLTIMO SEGUNDO.
PARECE QUE LE HA AFECTADO.
ES NORMAL. QUE CAMBIEN LAS TORNAS CUANDO YA ESTABA CONVENCIDO DE GANAR ES UN GOLPE DURO.
PE... PERO...
...LE HE DADO.

LA... LA ÚLTIMA VEZ NO LE DI NI UN GOLPE Y ESTA VEZ HE CONSEGUIDO TUMBARLO DOS VECES.
HAN SIDO TRES MESES MUY DUROS, PERO AHORA ESTOY TAN CONTENTO QUE...
...SI PUDIERA ME GUSTARÍA SEGUIR LEVANTÁNDOME Y SEGUIR PELEANDO PARA SIEMPRE.
QUE ALGUIEN TAN BUENO COMO MIYATA UTILICE SU AS BAJO LA MANGA SIGNIFICA QUE SE ESTÁ TOMANDO EN SERIO EL COMBATE CONMIGO.
¡NO PUEDO DESAPROVECHAR ESTA OPORTUNIDAD!
ESTE CRÍO...
¿CREE QUE AMBOS HABRÁN RECIBIDO EL MISMO DAÑO?
¿EH? PERO AMBOS HAN CAÍDO DOS VECES, Y EL CHICO HA ANULADO EL *COUNTER* DE MIYATA DOS VECES YA.
YO DIRÍA QUE ES ÉL QUIEN TIENE LA VENTAJA.
SÍ.
Y SI ES ASÍ EL CHICO ESTÁ EN DESVENTAJA.

EL GOLPE DEFINITIVO DE ESE CHICO ES EL LONG UPPERCUT DE ANTES.
¡UAH!
SI LE DIESE DE LLENO PODRÍA ATRAVESAR LA GUARDIA Y DEJAR KO A MIYATA.
¡UAH! ¡UAH! ¡UAH!
SIN EMBARGO, EL AS BAJO LA MANGA DE MIYATA LO HA SUPERADO. ¡YA NO VA A PODER VOLVER A LANZAR ESE UPPERCUT!
ESO QUIERE DECIR QUE AMBOS HAN ANULADO LA MEJOR TÉCNICA DEL OPONENTE, ¿VERDAD?
ENTONCES EL COMBATE YA NO SE DECIDIRÁ DE UN SOLO GOLPE.
AHORA GANARÁ QUIEN MÁS TÉCNICAS DOMINE.
BIEN. ¡SEGUNDOS FUERA!
¡EMPIEZA EL SEGUNDO ASALTO!
¡AGH! ¡AGH!
FRAS
FRAS
¡ARF! ¡ARF!
DIIING

¡VAMOS! ¡TÚ PUEDES, NOVATO!
¡DALE UN BUEN GOLPE!
¡UAH! ¡UAH!
¡UAH!
¡MIYATA, ACABA CON ÉL!
¡DEVUÉLVELE EL GOLPE!
ZAS ZAS
ZAS
FUM
¡EL NOVATO HA ATACADO PRIMERO!
¡TÚ PUEDES, MIYATA!
¡VAMOS, NOVATO!
FAS
FAS
FAS
GUAU. TODOS ESTÁN MUY EMOCIONADOS ANIMANDO. CASI PARECE UNA LUCHA.
NO ES DE EXTRAÑAR. DOS LUCHADORES SIN LICENCIA ESTÁN REALIZANDO UN COMBATE TAN INTENSO QUE AMBOS ESTÁN TUMBANDO A SU OPONENTE. Y UNO DE ELLOS SOLO LLEVA TRES MESES ENTRENANDO.
¡UAAAH!
¡ADELANTE, MIYATA!
HASTA YO HE CERRADO EL PUÑO DE LA EMOCIÓN.

ES CASI IMPOSIBLE VER UN COMBATE DE DOS BOXEADORES DEL MISMO GIMNASIO.
QUIZÁ EXAGERE, PERO...
...PUEDE QUE ESTEMOS PRESENCIANDO UN DUELO INIGUALABLE QUE JAMÁS PODRÍAMOS VER EN UN *RING* OFICIAL.
¡UAH! ¡UAH! ¡UAH!
¡UAH!
PAF
¡AGH!
¡OH! ¡MIYATA HA HECHO UN *CLINCH*! ESTO NO SE VE TODOS LOS DÍAS.
ÑAG
¡UAH! ¡UAH!
¡NOVATO, ZARANDÉALO Y SUÉLTATE!
¡SEPARAOS!
¡SUÉLTALO, MIYATA! ¡SEPÁRATE!
ÑUG ÑUG
AQUEL MIYATA TAN ORGULLOSO ESTÁ...
¿QUÉ ESTÁ PASANDO? ES COMO SI HUBIERAN CAMBIADO LOS PAPELES.
¡ARF! ¡ARF!
¡ARF! ¡ARF!
FUUU...
¡ARF!

¡OTRO CLINCH!
¡MIYATA, DEJA DE HUIR Y PELEA!
ÑAG
DIIING
¡ALTO!
¡FIN DEL SEGUNDO ASALTO!
ZAS
¡ARF! ¡ARF!
QUÉ RARO. MIYATA NO HUIRÍA DE LA PELEA.
¿POR QUÉ?
¡ARF! ¡ARF!
FUUU...
AAH...
FUUU...
AAH...
¡AH!
¿TE HAS DADO CUENTA? MIYATA SE HA DEDICADO A RECUPERARSE DURANTE ESTE ASALTO.
HACE UN MOMENTO RESPIRABA A DURAS PENAS Y MÍRALO. ¡ESTATE PREPARADO PARA LOS DOS ASALTOS RESTANTES!
ARF... ARF...
¡AGH! ¡AGH!
¡AGH! ¡AGH!

¡TERCER ASALTO!
¡COMENZAD!
DIIING
¡SU EXPRESIÓN HA CAMBIADO! ¡VIENE A POR MÍ! ¿VOLVERÁ A SU ESTRATEGIA DE ESQUIVAR Y CONTRAATACAR?
¿O PIENSA HACER OTRA COSA?
BRRR
ES IGUAL. POR MUCHO QUE PIENSE NO LO PUEDO SABER.
TAP
SEA COMO SEA LO ÚNICO QUE PUEDO HACER ES SEGUIR ACERCÁNDOME.
FAS FAS
FIUM
PERFECTO. MIS PIERNAS VUELVEN A FUNCIONAR.
JE
¡AQUÍ VOY!

PLOC
BAM
BAM
FAS
FUM
FIU

BAM BAM
ZAS
ZAS ZAS
FUM FUM
¡MIRA A MIYATA!
¡HA DEJADO DE ESPERAR Y CONTRA-ATACAR PARA PASAR AL ATAQUE!
ESTÁ HACIENDO HIT AND AWAY.
SE ACERCA RÁPIDAMENTE AL OPONENTE...
BAM BAM
...Y PARA CUANDO ESTE CONTRAATACA YA ESTÁ LEJOS DE NUEVO.
FUM
FAS
GOLPEA Y RETROCEDE. ASÍ CANSA A SU OPONENTE.
AUNQUE NO LE PROPINE GOLPES DECISIVOS EL DAÑO DE CADA GOLPE SE VA ACUMULANDO.

ASÍ ES. EL ESTILO DE PELEA QUE YO ADMIRABA DE MI PADRE EN SUS TIEMPOS DE PROFESIONAL, ESE MISMO.
ESQUIVAR LOS GOLPES DEL ENEMIGO CUANDO SE ACERCA Y...
EXACTO. ICHIRÔ ESTÁ MANEJANDO EL RITMO DEL COMBATE.
ESE ES SU ESTILO DE PELEA.
ÑUG
PLOC
PAM
¡...GOLPEAR!
PLOC
EL CHICO SIGUE ARRASTRANDO EL CANSANCIO DEL PRIMER ASALTO.
NO TIENE NADA QUE HACER CONTRA UN HIT AND AWAY TAN BIEN EJECUTADO.
AGH... LE ESTÁ DANDO EN EL ESTÓMAGO UNA Y OTRA VEZ.
POR MUCHO QUE EL NUEVO TENGA UN CUERPO RESISTENTE, RECIBIR ESOS GOLPES DESPUÉS DE TODO EL CANSANCIO ACUMULADO DEBE AFECTARLE BASTANTE.
TEKE
TEKE
TEKE
LOS PIES DEL NUEVO...

¡---SE HAN PARADO!
TEKE TEKE
TEKE
¡HA GANADO LA ESTRATEGIA DE MIYATA! EL DAÑO ACUMULADO EN EL CUERPO HACE QUE SE ENTUMEZCAN LAS PIERNAS.
ESTÁ DECIDIDO. SI EL NUEVO DEJA DE AVANZAR, MIYATA YA NO TIENE NADA QUE TEMER.
LLEGADOS A ESTE PUNTO, LA DIFERENCIA DE EXPERIENCIA SE HACE NOTAR.
PAF
PAF
PLOC

AH...
QU... QUIE-RO...
QUIERO SEGUIR PELEAN-DO...
POR FIN MIYATA ESTÁ LU-CHANDO EN SERIO.
TODAVÍA QUEDA UN ASALTO.
¡NO QUIERO CAER AÚN!
PLOF
ZAS
¿QUÉ TE PARECE ESO?

HAJIME NO IPPO

Asalto 12: Cosas por hacer

¡UAH! ¡UAH!
¡UAH!
¡UAH! ¿¡SERÁ EL FIN DEL COMBATE!?
¡UAH!
¡UNO!
¡DOS!
YA NO SERÁ CAPAZ DE LEVANTARSE. VOY A PEDIRLE UNAS PALABRAS A MIYATA. PREPARA LA CÁMARA.
¿QUÉ HACES? ¡DATE PRISA!
PE... PERO MIRE ESO.
¿CÓMO?
¿TODAVÍA PIENSA SEGUIR?

GRRR GRRR
GRRR
¡UOOOH!
FAM
がばっ
PAS

ZAS
DIIING
ÑAC
¡ALTO!
ES LA CAMPANA. ¡FIN DEL TERCER ASALTO!
¡SALVADO POR LA CAMPANA!
¡UAH! ¡UAH! ¡UAH!
¡HAN LLEGADO HASTA EL ÚLTIMO ASALTO!
¡UAH!
UGH... UGH...

PAS PAS
BIEN HECHO, ICHIRÔ.
QUIÉN HUBIERA DICHO QUE TÚ HARÍAS ESA POSE TRIUNFAL.
ES LA PRIMERA VEZ QUE VEO ESE ESPÍRITU DE LUCHA EN TI.
...
YO MISMO ESTOY SORPRENDIDO.
SÉ QUE DEBERÍA LUCHAR USANDO MI ASTUCIA.
PERO MI CUERPO SE ENCIENDE SOLO, NO PUEDO EVITARLO.
TODOS Y CADA UNO DE SUS GOLPES TIENEN LA POTENCIA SUFICIENTE PARA TUMBARME. NO PUEDO PERMITIRME RECIBIR NINGUNO.
ESA SENSACIÓN LÍMITE ME RESULTA FASCINANTE.

TRANQUILO, ES NORMAL. EN UN COMBATE REAL LA TENSIÓN DE COMER O SER COMIDO SIEMPRE ESTÁ PRESENTE.
HAY QUE VENCER ESA PRESIÓN PARA SER UN PROFESIONAL DE VERDAD.
LE DEBO UNA AL PRESIDENTE POR PERMITIRLE A MIYATA TENER ESTA EXPERIENCIA.
ASÍ PODRÁ CRECER MÁS COMO BOXEADOR.
SIGUE PELEANDO ASÍ. EL KO ES CUESTIÓN DE TIEMPO.
PERO TEN EN CUENTA QUE ÉL TRATARÁ DESESPERADAMENTE DE TUMBARTE DE UN GOLPE.
¡NO PIERDAS DE VISTA SU *UPPERCUT*!
¡ENTENDIDO! YA HE MEMORIZADO SU *UPPERCUT*.
SI SIGUE USÁNDOLO, ACABARÉ CON ÉL CON UN *COUNTER*.
KAMOGAWA BOXING GYM
NGHF...
NGHF...

ARF... NGH...
RAS RAS RAS
¡HMPF! TIENES LA NARIZ TAPONADA CON SANGRE Y NI SIQUIERA PUEDES RESPIRAR BIEN.
ME SORPRENDE QUE HAYAS PODIDO LEVANTARTE.
PERO HAS DEJADO DE AVANZAR Y YA NO PUEDES USAR EL *UPPERCUT*.
YA NO HAY NADA QUE PUEDAS HACER.
¿QUÉ HARÁS? ¿QUIERES RENDIRTE AHORA?
PLAS PLAS PLAS
NGHF... NGHF...
TSK. PERO SI APENAS PUEDES MANTENERTE EN PIE.
SI VUELVES A SALIR AHÍ, SOLO CONSEGUIRÁS QUE TE DÉ UNA PALIZA.
NIIC NIIC
NGH...
AL PRINCIPIO YO TAMBIÉN CREÍA QUE SI PODÍA ACERCARME UN POCO A MIYATA SERÍA SUFICIENTE.
YA HE CONSEGUIDO MUCHO MÁS DE LO QUE CREÍA QUE LOGRARÍA PERO...

UNA VEZ LLEGADO HASTA AQUÍ ME GUSTARÍA GANAR.
NO PUEDO EVITAR SENTIR ESE DESEO.
ÑUG
ES RARO, ¿VERDAD?
ESTE MOCOSO... ¿AÚN SIGUE PENSANDO ESAS COSAS DESPUÉS DE RECIBIR SEMEJANTE PALIZA?
PERO ES EVIDENTE QUE LO VA A LLENAR DE MORATONES SI SALE.
¿DEBERÍA PERMITIRLE SEGUIR? TODAVÍA NO HA DEBUTADO COMO PROFESIONAL SIQUIERA...
¡SEGUNDOS FUERA!
UGH...
ヨロ…
¿ESTÁS SEGURO?
YO NO CREO QUE TENGAS OPORTUNIDADES DE GANAR.

TODA-VÍA...
...ME QUEDA UNA COSA POR HACER.
PAF
¡DE ACUERDO! ¡VE A POR TODAS!
¡ENSÉÑAME QUÉ ES ESO QUE TE QUEDA POR HACER!
KAMOGAWA BOXING GIM
¡ACABA CON ÉL, ICHIRÔ!
PAM
¡¡ST!!
¡ÚLTIMO ASALTO!

ZAS
FAS
!!
¡ALLÁ VOY!

¡¡CO-
MEN-
ZAD!!
DIIING
TAP
PAF
¡AGH!

BR BR BR BR BR
FAM
¡MIYATA HA ATACADO PRIMERO!
¡YA LO TIENE CONTRA LAS CUERDAS!
TE... TENGO QUE HUIR...
¡NI LO SUEÑES!
ZAS
...
FAS
PAM PAM PAM PAM PAM PAM PAM PAM PAM PAM
¡MIRA, ES LA ESTRATEGIA TORTUGA!
EL NUEVO HA VUELTO A LA MISMA SITUACIÓN QUE HACE TRES MESES.

MENUDA RÁFAGA...
PIENSA DEJARLO KO PASE LO QUE PASE.
PAM
PAM
SUS ATAQUES SON TAN RÁPIDOS QUE NO PUEDO HACER NADA.
TENGO QUE RESISTIR HASTA QUE TERMINE LA RÁFAGA. ¡AGUANTA!
¡UUUGH!
NO SE DETIENE EN ABSOLUTO.
PAM
PAM
PAM

NO PUEDO SEGUIR VIÉNDOLO.
¿QUÉ RAYOS ES LO QUE LE QUEDABA POR HACER?
¡LO VA A DERROTAR ANTES DE QUE HAGA NADA!
¿CUÁNDO VA A PARAR LA RÁFAGA DE GOLPES DE MIYATA?
!
SU GUARDIA EMPIEZA A DESMORONARSE. EL KO ES CUESTIÓN DE TIEMPO.
PAF
¡UGH!
NO... NO PUEDO MÁS. TENGO LAS PIERNAS Y LOS BRAZOS ENTUMECIDOS.
¡YA NO ME MANTENGO EN PIE!
CLANC
¡VOY A ACABAR CON ESTO!
¡ES MÍO!
ZAS

¡... SE HA DETENIDO!
LA RÁFAGA...
AH...
FUUM
¡PIERNAS, NO ME FALLÉIS AHORA!
!!
¡TIENE POCO ESPACIO!
¡SERÁ UN RECTO DERECHO!
ZAS
ESQUIVO A LA IZQUIERDA Y...

FUM
¿CÓ...?
¿CÓ-MO?
¿¡ERA UN UPPER-CUT!?
NGH..

¡FAM!
TSK
チッ

¡AAAGH!
¡POR QUÉ POCO!
¿QUÉ HA SIDO ESE UPPERCUT?
¡HA ESTADO CERCA! NO ESPERABA QUE LANZARA UN UPPERCUT DESDE ESA POSICIÓN.
ERA COMPLETAMENTE DIFERENTE A TODOS LOS ANTERIORES. NO HE SIDO CAPAZ DE PREDECIRLO.
¡MALDITO! ¡ME HAS DADO UN BUEN SUSTO!
¿ACASO ESTO ES LO QUE BUSCABA ESE MOCOSO?
FAS

HE... ¡HE FALLADO!
¡ESTOY ACABADO!
FLAP

¿EH?
UGH...
ドス...
...
¿QUÉ ESTÁ PASANDO?
¿POR QUÉ ESTÁ MIYATA EN EL SUELO?

HAJIME NO IPPO

Asalto 13: El poder destructivo de 1 cm

PLAF
ドス…

¿QUÉ HA PASADO?
¿POR QUÉ ESTÁ MIYATA EN EL SUELO? ¿SE HA RESBALADO?
¡DOWN! ¡VUELVE A LA ESQUINA NEUTRAL!
¿¡CÓMO!?

¿CÓMO? ¿HA DICHO *DOWN*?
¿¡ACASO EL *UPPERCUT* DE ANTES LE HA DADO!?
¡NO HA SIDO UN GOLPE AL AIRE!
¡EL GOLPE DE ANTES HA ROZADO LEVEMENTE LA BARBILLA DE MIYATA!
¡UNO!
¡DOS!
BRRR
FIUUU...
QUÉ CAÍDA MÁS TORPE.
PENSASTE QUE PREDECIRÍA TU *LONG UPPERCUT* ASÍ QUE PRACTICASTE EL *UPPERCUT* DE CORTA DISTANCIA, ¿EH?

DESDE LUEGO NO ESPERABA QUE LANZASES UN *UPPERCUT* DESDE ESA POSICIÓN.
ME HAS PILLADO POR SORPRESA Y LO HE ESQUIVADO TARDE.
¡CUATRO!
YA VOY. AHORA ME LEVANTO.
ÑUG
¡CINCO!
TEKE
¿¡QUÉ TE PASA, ICHIRÔ!?
¡LEVÁNTATE, VAMOS!

ガクン
TEKE
¡SEIS!
ESPERA UN MOMENTO…
YA ME LEVANTO…
PAF
¡SIETE!
PLAF
¡ESPERA! ¡AÚN PUEDO SEGUIR!
¡OCHO!
¡TE ESTOY DICIENDO QUE PUEDO SEGUIR!
¡NUEVE!
¡MALDICIÓOON!

¡NGHHH!
ばっ
PAS
¡¡DIEZ!!

SUSH
SUSH
SUSH
SUSH
SUSH
SUSH
ごくん
GLUP
ZASC
BRRR

¡EL GANADOR ES IPPO!
ZAS
¡UAAAH!

¡UAH! ¡UAH! ¡UAH! ¡UAH!
¡ASÍ SE HACE, NOVATO!
¡EL COMBATE HA SIDO INCREÍBLE!
TEKE ヨロ…
¡NO LO PUEDO CREER! ¡HA GANADO POR KO CONTRA MIYATA!
¡UAH! ¡UAH! ¡UAH!
NO, PARA.
¡NO ES MOMENTO PARA ESTAR SONRIENDO!
¡EJEM!
FIU ズ…
HAS SABIDO SALIR DE ESA ENCRUCIJADA. TU FUERZA MENTAL PARA NO RENDIRTE EN NINGÚN MOMENTO ES ALGO DIGNO DE ELOGIAR.
¡SIN EMBARGO!
FIUUU ズズズ…
EN LO QUE A LA TÉCNICA RESPECTA, TE QUEDA MUCHO POR APRENDER.
¡A PARTIR DE MAÑANA SEGUIRÁS ENTRENANDO DURO, ASÍ QUE PREPÁRATE!

スカ
AH...
FLAP
AAAH... SE HA QUEDADO SIN FUERZAS...
SE HA DESMAYADO...
¿EH? ¿DÓNDE ESTÁ EL PRESIDENTE?
PERO SI HASTA HACE UN MOMENTO ESTABA AQUÍ DANDO LA CHAPA...
¡JA, JA, JA, JA! AL MENOS NOS HEMOS LIBRADO DE SEGUIR ESCUCHANDO SUS ROLLOS DE VIEJO...
¡IDIOTA! COMO TE ESCUCHE, ESTÁS MUERTO...
BARCOS DE
ESA NOCHE---
---IPPO NO FUE CAPAZ DE CALMAR SU EXCITACIÓN...
¡AH, LAS CLASES VAN A EMPEZAR EN SEGUIDA!
¡TENGO QUE DORMIRME!
5:02
¡EL GANADOR ES IPPO!
ばっ
PAS

ROLONC ROLONC
NO PUEDO DORMIR…
Despacho del presidente
GIMNASIO DE BOXEO KAMOGAWA
UNOS DÍAS DESPUÉS…
HMM…
¡MIRE, POR FAVOR!
PAS
¿NO LE PARECE QUE ES UN MOMENTO DECISIVO?
¿QUÉ LE PARECE ESTA FOTOGRAFÍA DE AQUEL UPPERCUT?

LE HA DADO EN LA PUNTA DE LA BARBILLA. ES UN GOLPE DE PRECISIÓN.
ES CIERTO, AUNQUE SOLO SEA CON 1 CM DEL BORDE DEL GUANTE.
SI RECIBES UN GOLPE AQUÍ, EL CEREBRO REBOTA DENTRO DEL CRÁNEO Y LAS PIERNAS DEJAN DE RESPONDER.
ES POR ESO QUE, AUNQUE ESTABA PLENAMENTE CONSCIENTE, NO PUDO LEVANTARSE.
ESTABA CONVENCIDO DE QUE LO HABÍA ESQUIVADO.
IRÓNICAMENTE, LOS ENORMES REFLEJOS DE MIYATA HAN CAUSADO ESTE DESASTROSO RESULTADO PARA ÉL.
PERO SI HUBIERA SIDO UN BOXEADOR CUALQUIERA, HABRÍA RECIBIDO EL GOLPE DE LLENO.
Y ENTONCES EL RESULTADO HABRÍA SIDO MUCHO MÁS TRÁGICO.
¡AHÍ ESTÁ EL PUNTO!
¡TIENE ESA FUERZA CON SOLO 1 CM!
SE PUEDEN ESPERAR GRANDES COSAS DE ÉL.
TENGO ESPERANZAS EN ÉL, NO COMO REPORTERO, SINO COMO FAN DEL BOXEO.
ASEGÚRENSE DE CONVERTIRLO EN UN BUEN BOXEADOR.
¡HASTA PRONTO!
PATAF

QUIÉN HUBIERA IMAGINADO QUE SERÍA CAPAZ DE LANZAR SEMEJANTE GOLPE DESDE ESA POSICIÓN...
¡YO NO LE HE ENSEÑADO A HACER ESO!
ギロ
GRRR
¿QUÉ PASA?
NA... NADA...
JA, JA...
HACE MUCHO TIEMPO QUE NO VEÍA AL PRESIDENTE TAN ANIMADO.
¿EH? ¿ESE NO ES EL PADRE DE MIYATA?
HA COGIDO SUS COSAS Y SE HA MARCHADO.
ESO QUIERE DECIR QUE LOS RUMORES ERAN CIERTOS.
¿DE QUÉ RUMORES ESTÁIS HABLANDO?
AH, ES QUE MIYATA...

---VA A DEJAR EL GIMNASIO-
¡OH! ¿QUÉ PASA, IPPO?
ZAS
HE OÍDO QUE MIYATA VA A DEJAR EL GIMNASIO Y---
BUENO, ES POSIBLE- PERDIÓ CONTRA TI, AL FIN Y AL CABO-
SI FUESE YO, ME DARÍA TANTA VERGÜENZA QUE ME SUICIDARÍA-

¡ES BROMA, HOMBRE!
NO TE LO TOMES TAN A PECHO- NO PUEDO ESTAR MURIÉNDOME CADA VEZ QUE PIERDO UN COMBATE-
NORI-P
¡TAKAMURA, IDIOTA!
EH--- LA CASA DE MIYATA--- LA CASA DE MIYATA---

AH...
Miyata
Miyata
FLIP
AUN-QUE LO VEA...
¿...QUÉ LE PUEDO DECIR?
NORI-P
¿QUÉ QUIERES?
NORI-P
¡AH! EH... HM... PUES...
¡HMPF! ESPERO QUE NO PRETEN-DAS INVITARME A UN ZUMO OTRA VEZ.
HE... HE OÍDO UN RUMOR EXTRA-ÑO Y...
NO VAS A MAR-CHARTE DEL GIMNASIO KAMOGAWA, ¿VERDAD?
QUÉ MALO ERES.
NO DIGAS ESAS COSAS, HOMBRE.

¡UGH...
ズキ〜ン…
ES... ¿ES POR MI CULPA?
¿ES PORQUE TE HICE PASAR VERGÜENZA DELANTE DE TODOS?
SÍ, ES CULPA TUYA.
NORI-P
NORI-P
ふ…
JE...
PERO TE EQUIVOCAS. NO ME PREOCUPAN TONTERÍAS COMO PASAR VERGÜENZA NI NADA POR EL ESTILO.
SI DEBUTAMOS COMO PROFESIONALES DEL MISMO GIMNASIO, NO PODRÉ PELEAR CONTIGO.
DE MOMENTO TENEMOS UNA VICTORIA CADA UNO.
¡ARREGLAREMOS LAS CUENTAS EN UN *RING* COMO PROFESIONALES!
MIYATA...

PAF
NO PONGAS ESA CARA TAN PATÉTICA.
¡LA PRÓXIMA VEZ QUE NOS VEAMOS SERÁ EN LA FINAL DEL TORNEO DE NUEVAS PROMESAS DEL ESTE DE JAPÓN!
¡NO QUIERO VERTE ANTES DE ESO!
¡VALE!

GIMNASIO DE BOX
¡BUENAS TARDES!
¡BUE-NAS!
¿QUÉ HAY?
ぱん
ぱん
PAF PAF
Vestuario
...
INTEGRANTES DEL GIMNASIO KAMOGAWA
Kawai
Mafune
Hayasaka
Takamura
Tomonaga
Nouchi
Hashimoto
Okutani
Yamada
Ishikawa
Ôta
Kamiya
Takahashi
Kawaishi
Aoki

Hashi
No
Kawaishi
Takahashi
Miyata
Kamiya
Ôta
Hashi
No
Kawaishi
Takahashi
Kamiya
Ôta
NUUUG
¡PLOC!

HAJIME NO IPPO

HAJIME NO IPPO

Asalto 14: El entrenamiento de Takamura

PLOC
¡VAMOS! ¡VAMOS! ¿QUÉ PASA?
PAM
BAM
PLOC
GIMNASIO DE BOXEO KAMOGAWA
PAF
¡NO DEPENDAS SOLO DE LA DERECHA! USA MÁS LA IZQUIERDA.
PAM
¡USA LA CADERA! DA UN PASO AL FRENTE Y LANZA UN "UN, DOS".
ZUM ZUM
PAF
PAF
¡NO DESCUIDES TU GUARDIA!
¡VAMOS! ¡VAMOS! ¡VAMOS!
PAF
¡GUAU! EL PRESIDENTE ESTÁ SIENDO INCLUSO MÁS DURO CON EL NUEVO QUE ANTES.
LO HA ELEGIDO COMO LA NUEVA ESPERANZA DEL GIMNASIO A COSTA DE MIYATA, DESPUÉS DE TODO. SERÍA UN PROBLEMA SI NO DIESE RESULTADOS.
CASI ME DA PENA QUE LO HAYAN ELEGIDO.
¡AGH! ¡SE ACABÓ! ¡SE ACABÓ!
¿EH?
PAF

¡VAYA GOLPES MÁS FLOJOS! ¡VETE A CORRER UN POCO PARA DESPEJARTE!
PE... PERO YO LO ESTABA HACIENDO LO MEJOR PO...
¡A CALLAR!
¡VETE DE UNA VEZ!
BRRR
...
¿QUÉ SUCEDE? NO ME HA PARECIDO QUE LO ESTUVIERA HACIENDO TAN MAL.
HMPF.
YA ENTIENDO. AL MARCHARSE MIYATA HA PERDIDO DE VISTA SU OBJETIVO.
ESTO NO ES BUENO. LA PRUEBA PARA PROFESIONAL ES DENTRO DE NADA.
...YA NO SIENTO LA TENSIÓN QUE SE PERCIBÍA LOS DOS MESES ANTERIORES AL COMBATE CON MIYATA.
¡EN APARIENCIA! PERO DE CADA UNO DE SUS GOLPES...
BAM
¡AH!

PLOC
SIN EMBARGO, TAKAMURA PARECE MÁS QUE PREPARADO PARA SU COMBATE DE DENTRO DE UNA SEMANA...
ADEMÁS PARECE QUE ESTÁ ADELGAZANDO A UN BUEN RITMO...
PLOC
PLOC
SU DEDICACIÓN ANTES DE UN COMBATE ES ADMIRABLE...
PLOC
BAM BA
BAM
PAF
PAM
HM...
DEJEMOS QUE TAKAMURA SE ENCARGUE DE IPPO...
¡¿EH!?
¡UN MOMENTO! ¡ESO ES UNA LOCURA!
EL ENTRENAMIENTO DE ANTES DE UN COMBATE DE TAKAMURA ES MORTAL...
¡UN *SHOCK* ASÍ ES JUSTO LO QUE EL MOCOSO NECESITA AHORA MISMO!

¡ARF! ¡ARF!
¡ARF! ¡ARF!
AH, ES TAKAMURA.
ÁNIMO, TÚ PUEDES.
SIO DE BOXEO KAMOGAWA
GRRR
ぬ
¡LLEGAS TARDE! ¡TAKAMURA YA SE HA MARCHADO! ¡PERSÍGUELO AHORA MISMO!
¡UAAAH!
A PARTIR DE AHORA VAS A SEGUIR A TAKAMURA TODA LA SEMANA.
¡VAMOS! ¿A QUÉ ESPERAS? ¡VETE!
¡DEJA DE QUEJARTE Y VETE!
...
NORI-P
PERO YO...
...ACABO DE VOLVER DE CORRER.
?
?

¡TAKAMURA, ESPÉRAME!
¡CLARO! EL PRESIDENTE ME HA DICHO QUE VAMOS A ENTRENAR JUNTOS ESTA SEMANA.
FAS FAS
SÍ QUE ESTABA DE MAL HUMOR EL PRESIDENTE. ¿HAS HECHO ALGO?
NO... NO TENGO NI LA MENOR IDEA.
PERO SI ENTRENO CONTIGO SEGURO QUE SERÁ DIVERTIDO.
TRATARÉ DE NO ENTORPECER TU PREPARACIÓN DEL COMBATE. EMPECEMOS CUANDO QUIERAS.
CONQUE DIVERTIDO, ¿EH?
¡BIEN! ¡ENTONCES VAMOS A DIVERTIRNOS!
PAS
¡ESTÁ CORRIENDO!
ZAS
CON EL PRESIDENTE CORRÍ HASTA MÁS NO PODER, ASÍ QUE SE ME DA BIEN.
¿ESTÁS PREPARADO PARA EL COMBATE DE DENTRO DE UNA SEMANA?
TAAAP
¡IDIOTA! ¡ES OBVIO QUE VOY A GANAR!
¡IRÉ A ANIMARTE SIN FALTA!
¡VALE!

¿ES FUERTE TU OPONENTE?
TAAAP
NO HAY NADIE MÁS FUERTE QUE YO EN ESTE MUNDO.
¡TAKAMURA, ERES INCREÍBLE!

TAAAP
¿HASTA CUÁNDO...?
¿...VAMOS A SEGUIR CORRIENDO?
ARF... ARF... ARF...
はぁ はぁ はぁ
FAS FAS FAS
POR FIN SE HA PARADO.
MENUDO ESPRINT MÁS LARGO...
¡¡UGH!!
TAAP
EL OPONENTE TAMBIÉN HA VENCIDO A TODOS SUS RIVALES POR KO.
PERO CONTRA MIS PUÑOS NO DURARÁ NI UN ASALTO.
¡JUA, JA, JA, JA, JA!
¿VERDAD?
NO PUEDE RESPONDER, ¿EH?

¡UOOOH!
DE BOXEO KAMOGAW
¡TOMA! ¡TOMA!
¡NGH!
BAM BAM BAM
¡UOOOH!
PAS PAS PAS
¡AGH! ¡AGH!
¿ESTE ES EL ENTRENAMIENTO DE ALGUIEN QUE ESTÁ PASANDO HAMBRE PARA ADELGAZAR?
PERO SI APENAS HEMOS PARADO PARA DESCANSAR.
¡UAH! ¿VAMOS A IR A CORRER OTRA VEZ?
¡UUUGH! ¡UUUGH!
FUM FUM FUM
¡ARF! ¡ARF! ¡ARF! ¡ARF!
NO ESTOY A LA ALTURA DE SU ENTRENAMIENTO. VOY A TERMINAR ESTORBANDO. ¿QUÉ DEBO HACER?
¿POR QUÉ QUERRÍA EL PRESIDENTE QUE ALGUIEN COMO YO FUERA CON ÉL?

¿QUÉ TE PASA? NO DICES NADA DESDE HACE UN RATO.
SÍ QUE ERES IMPRESIONANTE, TAKAMURA.
CONTINÚAS CON ESTE ENTRENAMIENTO TAN DURO SIN QUE NADIE TE LO DIGA.
NO DIGAS ALGO TAN DESMOTIVADOR.
¿ES QUE TÚ NO PUEDES SEGUIR ESFORZÁNDOTE SI NO TE OBLIGAN?
NO... NO QUERÍA DECIR ESO.
ES SOLO QUE DESDE QUE SE FUE MIYATA ME SIENTO UN POCO SOLO.
JE, JE...
¿ACASO HAS VENIDO AL GIMNASIO A HACER AMIGOS?
PARECE QUE MIYATA TE DIJO QUE TE ESPERARÍA EN LA FINAL DEL TORNEO DE NUEVAS PROMESAS, PERO...
¡...ASÍ NO HAY FORMA DE QUE VAYAS A LLEGAR!
¡EL MUNDO DEL BOXEO PROFESIONAL NO ES ASÍ DE FÁCIL!

¡BUEN TRABAJO!
¡HASTA MAÑANA!
¡GRACIAS!
¡ADIÓS!
GIMNASIO DE BOX
BUENO, VÁMONOS A CASA.
NO PONGAS ESA CARA, HOMBRE.
AH, YA ENTIENDO. NO TE PREOCUPES POR LO QUE HE DICHO ANTES.
ES QUE ESTOY HAMBRIENTO Y DURANTE EL ENTRENAMIENTO ME ALTERO ENSEGUIDA.
PAM PAM
¿QUIERES VENIR A MI CASA UN RATO?
¿EN SERIO? ¿PUEDO IR?
ME PREGUNTO CUÁNTOS AÑOS HARÁ QUE NO ME INVITAN A CASA DE ALGUIEN.
SÍ QUE TIENE POCOS AMIGOS...
FLIP FLIP
RESIDENCIA ÔTA
RESIDENCIA ÔTA
¡ES EN EL PRIMER PISO!

¿QUÉ PASA? NO TE CORTES, HOMBRE. PASA.
...
ドスッ
PLAF
VOY A MEAR. ESPÉRAME SENTADO DONDE QUIERAS.
PERO SI NO HAY SITIO PARA SENTARSE.
TENDRÉ QUE RECOGER UN POCO.
FLAP FLAP
ぱたぱた
UGH... NO HAY MÁS QUE REVISTAS COMO ESTA.
月刊
大人の本
SÍ QUE TARDA.
...
TSK. YA NO TENGO AGUA EN EL CUERPO NI PARA MEAR.
ガチャ
CACHAC

AH.
ES UN SE-CRETO, ¿VALE?
BZZ BZZ
¡UAH, JA, JA, JA! ¿AOKI? IPPO ESTÁ LEYENDO UNA REVISTA ERÓ...
¡UAAH! ¡HE DICHO QUE ES UN SECRETO!
CLAC
¿QUÉ ACABA DE PA-SAR?
PIII
¡OH! YA HA HERVIDO. TIE-NES HAMBRE, ¿VERDAD? TENGO FIDEOS INSTANTÁNEOS.
TOMA, COME.
PE... PERO TÚ ESTÁS A DIETA, ¿NO?
NO PUEDO COMER SOLO YO.

TE PREOCUPAS DEMASIADO, IDIOTA. ADEMÁS, TAMBIÉN TENGO MI COMIDA.
AH, ¿SÍ?
JE, JE, JE. EN REALIDAD TENÍA MUCHA HAMBRE.
CLAS
¿UN TOMATE?
NO ME DIGAS QUE PIENSAS CENAR SOLO ESO.
¡SÍ!
あ〜〜っ
AAAHM.
¡NO TE PREOCUPES POR MÍ Y COME! CUANDO TE VUELVES UN BOXEADOR DE PRIMERA COMO YO, ESTAR A DIETA ESTÁ CHUPADO.
QUÉ BUENO.
ÑUM ÑUM
HABÍA OÍDO QUE UNA DIETA ESTRICTA ERA COMO UN INFIERNO, PERO PARA TAKAMURA NO ES NADA.
PARECE COMO SI HUBIERA NACIDO PARA SER BOXEADOR.
AHORA QUE LO PIENSO NUNCA TE LO HABÍA PREGUNTADO. ¿POR QUÉ EMPEZASTE A BOXEAR?

¿POR QUÉ PREGUNTAS ESO DE REPENTE? YA NO ME ACUERDO…
¿EH? PERO DEBIÓ DE HABER ALGÚN MOTIVO…
EL MOTIVO ES MUY SENCILLO… ANTES SIEMPRE ANDABA PELEÁNDOME CON GENTE…
UN DÍA, ME TOPÉ CON EL PRESIDENTE Y ME PROPUSO BOXEAR…
NO TENÍA NADA MEJOR QUE HACER, ASÍ QUE LO INTENTÉ…
Y EN MI COMBATE COMO DEBUTANTE, GANÉ…
¡UAAAH!
CLAP CLAP CLAP CLAP CLAP CLAP CLAP CLAP CLAP CLAP CLAP CLAP CLAP CLAP CLAP CLAP CLAP CLAP CLAP CLAP
¡UAH! ¡UAH!
ENTONCES ME LLOVIERON LOS APLAUSOS. SE SIENTE GENIAL…
FUE LA PRIMERA VEZ QUE ALGUIEN ME ELOGIABA…

ES COMO SI MIS PUÑOS, QUE NO TENÍAN ADÓNDE IR...
...HUBIERAN SIDO RECONOCIDOS.
NO SÉ CÓMO EXPLICARLO.
¡TE ENTIENDO!
¡TE ENTIENDO PERFECTAMENTE!
ばっ
PAF
¡UAH!
YA... YA VEO...
HM. HM.
うん うん
SÍ QUE SE HA HECHO TARDE. QUÉDATE A DORMIR ESTA NOCHE. YO ME ENCARGO DE LLAMAR A TU MADRE.
¡VALE!
RESIDENCIA ÔTA
ÑUG ÑUG
UGH...

SE ME VA A ABRIR UN AGUJERO EN EL ESTÓMAGO.
NE... NECESITO TAPARLO CON ALGO.
ÑUUG
UUUGH... AL MENOS CON ESTO PODRÉ DISIPAR EL DOLOR UN POCO.
...
¡SOY UN IDIOTA!

ERA OBVIO QUE ES DURO PARA ÉL...
SEIS DÍAS DESPUÉS...
¡MOCOSO!
GIMNASIO DE BOXEO KAMOGAWA
¿QUÉ ESTÁS HACIENDO? ¡TAKAMURA YA ESTÁ LISTO PARA SALIR A CORRER! ¡VE DE UNA VEZ!
PAM
¡SÍ! ¡YA ME VOY!
HM...
PARECE QUE HA FUNCIONADO.
¡SÍ! PENSÉ QUE SENTIR LO DURO QUE ES SER UN PROFESIONAL EN SUS CARNES SERÍA LO MEJOR.
PUEDE QUE YA ESTÉ PREPARADO PARA SUBIRSE AL RING COMO PROFESIONAL.
ESTOY SEGURO DE QUE CUANDO VUELVA Y VEA ESTO ESTARÁ AÚN MÁS MOTIVADO.

¡DEBUT IMPACTANTE DE UN NOVATO DE GRAN ENVERGADURA EN LOS PESOS PLUMA DE JAPÓN!
¡Dejó KO a su oponente un minuto y 33 segundos tras comenzar el primer asalto!
Ichirô Miyata (Gimnasio Kawahara)
¡ARF! ¡ARF!
¡ARF! ¡ARF!
TAAAP
¡ARF! ¡ARF!
EL PRESIDENTE ME HA VUELTO A GRITAR.
NO PUEDO SEGUIR ASÍ.
HMPF... POR MUCHO QUE DIGA, EN UNA SEMANA SE HA ACOSTUMBRADO A MI ENTRENAMIENTO.
ES VERDADERAMENTE INCREÍBLE.
DÉJAME QUE TE CUENTE ALGO.
EL PRESIDENTE TAMBIÉN ME GRITABA MUCHO.
ESO SOLO LO HACE CON AQUELLOS QUE TIENEN POTENCIAL. ESO QUIERE DECIR QUE ESPERA GRANDES COSAS DE TI.
ÁNIMO.
...

POR FIN, MAÑANA ES EL COMBATE.
ES LA PRIMERA VEZ QUE VOY AL PABELLÓN KÔRAKUEN. ESTOY MUY NERVIOSO.
FAS FAS FAS
DESPUÉS DE TODO LO QUE SE HA ESFORZADO, SEGURO QUE GANARÁ, ¿VERDAD?
¡TAKAMURA!
YA VEO. ASÍ QUE ES LA PRIMERA VEZ QUE VAS A VER UN COMBATE DE CERCA, ¿EH?
FIUM
YA VERÁS.
TE VOY A ENSEÑAR CÓMO PE-LEAN LOS PROFESIO-NALES.
JE.
¡VALE!
GLUP

HAJIME NO IPPO

HAJIME NO IPPO

Asalto 15: Los tres pesos pluma

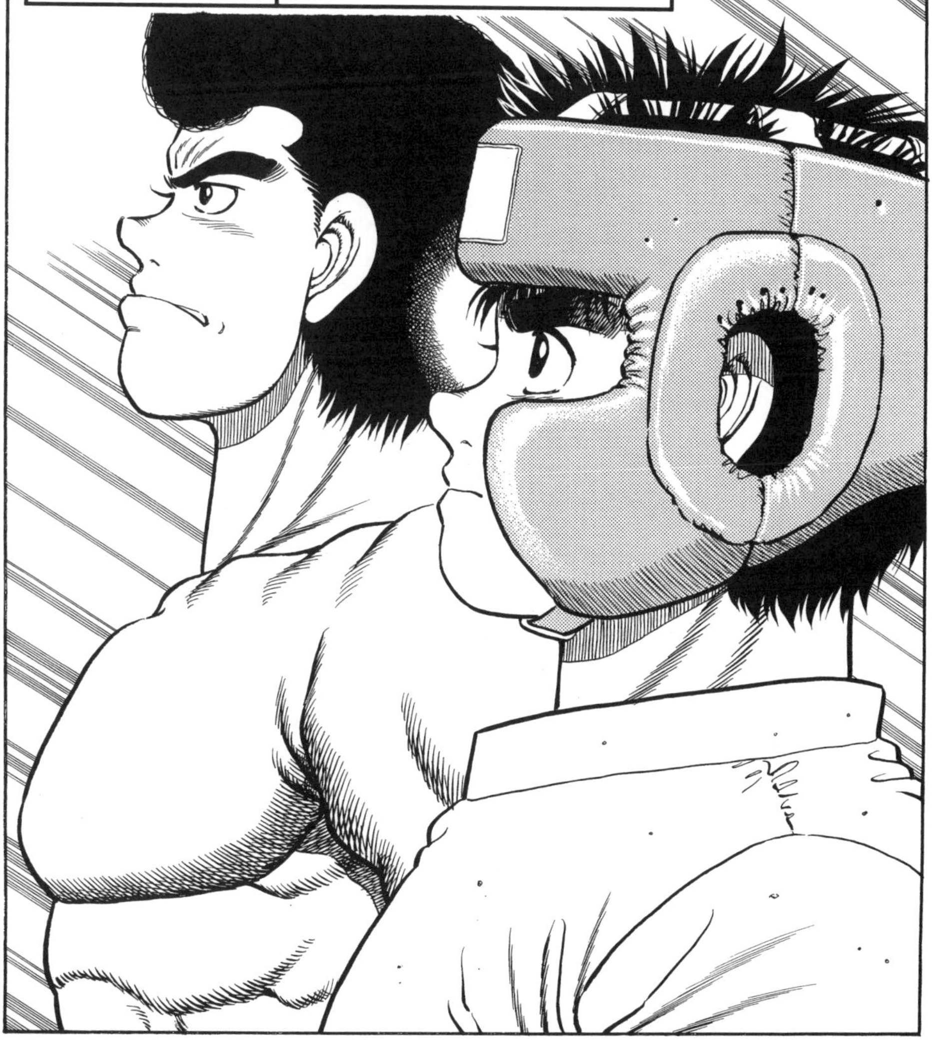

KÔRAKUEN
QUÉ MALOS SON... ANDA QUE HACERME LIMPIAR A MÍ SOLO LA CLASE...
¡UAH! ¡VOY A LLEGAR TARDE!
TOKYO DOM
PABELLÓN KÔRAKUEN
TAP TAP
INFORMACIÓN
4-5 Pabellón Kôrakuen
3 Oficinas Kôrakuen Stadio
2 VIENTO
Sports massage & sauna
1 Restaurantes
B Bicky's Café
Sala de juegos Cinedome
BIBI Carnival Jean Barte
BIEN... AL MENOS LLEGO A TIEMPO PARA VER EL COMBATE DE TAKAMURA...
ARF... ARF...
UIII
VAMOS, VAMOS...
BRRR BRRR
CLIN

¡EL CUARTO PISO! ¡EL CUARTO PISO!
CLAS
POR FIN HE PODIDO VENIR AL PABELLÓN KÔRAKUEN...
UIII
ESTO ME PONE MUY NERVIOSO...
ALGÚN DÍA YO TAMBIÉN...
CLIN
FAS FAS FAS
CLAS
CLAS
UIII
TODAVÍA SIGUEN CON EL COMBATE PREVIO...
¡UAH! ¡UAH! ¡UAH!
TAP TAP TAP
AUNQUE, POR MUCHO QUE SEA EL PREVIO, SIGUEN SIENDO PROFESIONALES...

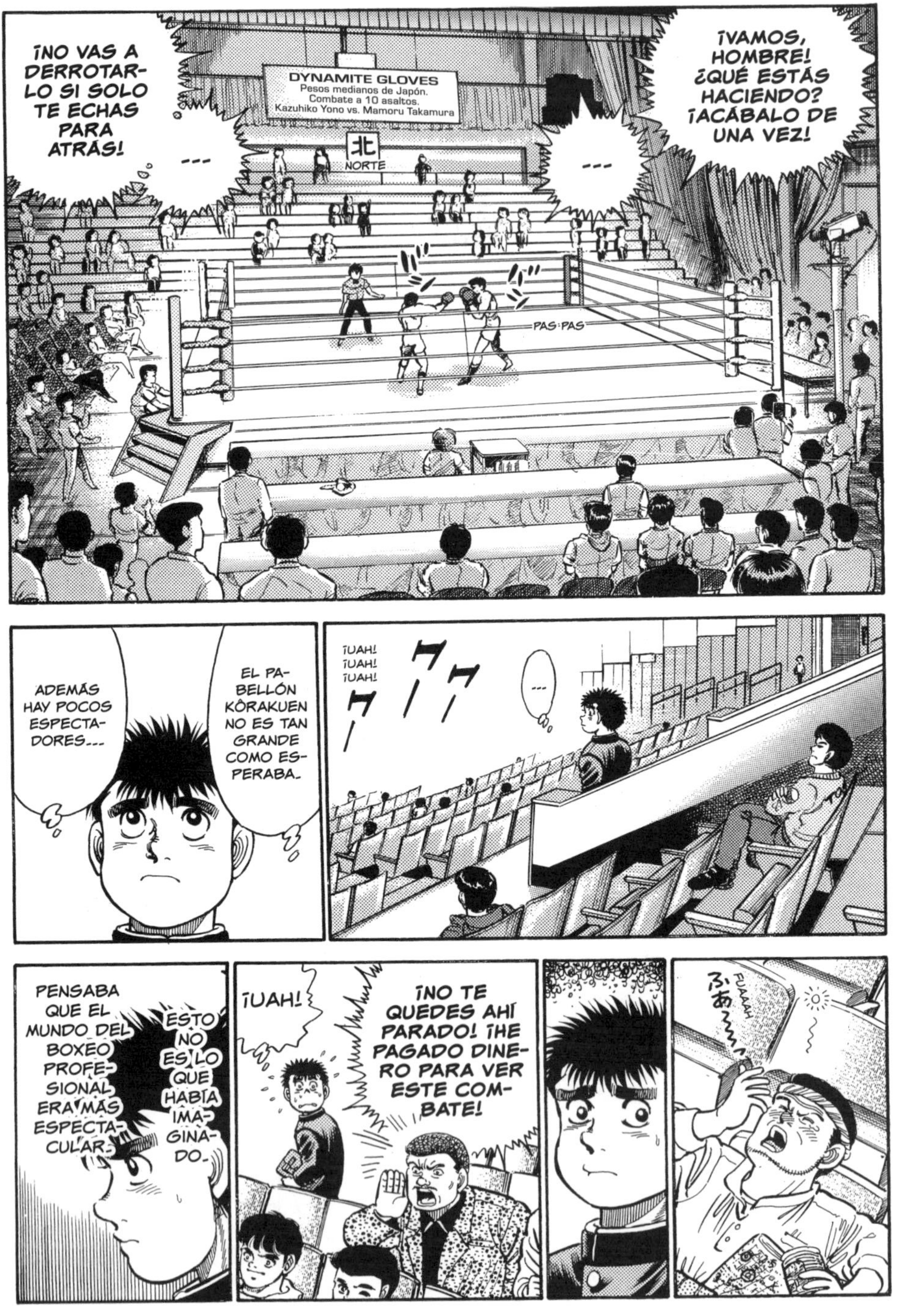
¡VAMOS, HOMBRE! ¿QUÉ ESTÁS HACIENDO? ¡ACÁBALO DE UNA VEZ!
...
¡NO VAS A DERROTARLO SI SOLO TE ECHAS PARA ATRÁS!
...
DYNAMITE GLOVES
Pesos medianos de Japón.
Combate a 10 asaltos.
Kazuhiko Yono vs. Mamoru Takamura
NORTE
PAS PAS
...
¡UAH! ¡UAH! ¡UAH!
EL PABELLÓN KÔRAKUEN NO ES TAN GRANDE COMO ESPERABA.
ADEMÁS HAY POCOS ESPECTADORES...
FUAAAH
¡NO TE QUEDES AHÍ PARADO! ¡HE PAGADO DINERO PARA VER ESTE COMBATE!
¡UAH!
ESTO NO ES LO QUE HABÍA IMAGINADO.
PENSABA QUE EL MUNDO DEL BOXEO PROFESIONAL ERA MÁS ESPECTACULAR.

QUIZÁ EL BOXEO NO SEA TAN POPULAR...
ふっ
FUM
¿HM? SE HAN APAGADO LAS LUCES Y DE REPENTE HA EMPEZADO A ENTRAR MUCHA GENTE.
UPS.
BLA
BLA
BLA
BLA
BLA
南
SUR
¡GUAU! AHORA ESTÁ CASI LLENO.
BLA
BLA
BLA
PRO-HIBIDO FUMAR
DYNAMITE GE
Pesos medianos de Ja
Combate a 10 asaltos.
Kazuhiko Yono vs. Mamoru Takamura
北
NORTE

EN ESTOS MOMENTOS EMPIEZA EL EVENTO PRINCIPAL DEL DÍA.
¡EL COMBATE A 10 ASALTOS DE LOS PESOS MEDIANOS DE JAPÓN!
ZAS
¡NO LO PUEDO CREER! EL AMBIENTE DECADENTE DE HACE UN MOMENTO HA DESAPARECIDO. ¡QUÉ TENSIÓN!
BRRR BRRR BRRR
TODO EL MUNDO ESTABA ESPERANDO ESTE COMBATE.
BRRR BRRR
TACHÁN
TACHÁÁN
TACHÁÁAN
TACHÁN
TACHÁÁAN
¡UAH! ¡UAH!
¡ES LA CANCIÓN DE *ULTRASIETE*!
¡TE ESTÁBAMOS ESPERANDO, TAKAMURA!
TARARAAA
TARÁÁA
¡DÉJATE DE CANCIONES TONTAS Y SAL DE UNA VEZ!
¡GUAU! ¡TAKAMURA VA A HACER SU APARICIÓN!
¡UAH!
¡UAH! ¡UAH!

M.TAKAMURA
KAMOGAWA
PAS
ばっ
¡UAH!
¡UAH! ¡UAH!
¡UAH! ¡UAH!
FIUU FIUU
TAKAMURA
KAMOR
¡AHÍ ESTÁ! ¡ACÁBALO DE UN GOLPE!
¡UAH! ¡UAH! ¡UAH!
¡HE TENIDO QUE EMPEÑAR A MI MADRE PARA PAGARME LA ENTRADA!
FAS FAS
¡JA, JA, JA, JA, JA!
わははは
どー
¡SI NO GANAS POR KO, NO TE PERDONARÉ!
CÓ... ¡CÓMO MOLA!
¡Y ES MUY POPULAR!
¡UAH! ¡UAH!
HMMM...
じ〜ん

¡UAH! ¡UAH! ¡UAH!
¡EN LA ESQUINA ROJA, CON 69 KG DE PESO, PROVENIENTE DEL GIMNASIO TÔHÔ TENEMOS AL TERCER PUESTO DE LOS PESOS MEDIANOS!
¡KAZUHIKO HIRANO!
¡UAH!
FIU FIU
¡HIRANO! ¡NI SE TE OCURRA PERDER CONTRA ESE NOVATO!
SU OPONENTE TAMBIÉN PARECE MUY FUERTE...
¡UAH!
GLUP
¡UAH!
HIRANO ES EL TERCERO EN EL RANKING, ADEMÁS DE SER UN *HARD PUNCHER* Y UN VETERANO. SIN DUDA ES EL OPONENTE MÁS FUERTE CON EL QUE HAYA PELEADO TAKAMURA HASTA AHORA.
TODO EL MUNDO ESPERA QUE TAKAMURA LLEGUE A LUCHAR A NIVEL MUNDIAL, PERO LA DIFERENCIA DE EXPERIENCIA HARÁ QUE SEA UN COMBATE DIFÍCIL PARA ÉL.
¡UAH!
¡UAH! ¡UAH!
TAKAMURA...
¡TÚ PUEDES!

¡UAH!
¡EN LA ESQUINA AZUL, CON 72 KG DE PESO, DEL GIMNASIO KAMOGAWA, TENEMOS AL QUINTO PUESTO DE LOS PESOS MEDIANOS DE JAPÓN!
¡UAH! ¡UAH! ¡UAH!
¡MAMORU TAKAMURA!
¡A POR ÉL, TAKAMURA!
¡DANOS UN BUEN ESPECTÁCULO!
¡UAH!
PARECE QUE HAS SUFRIDO BASTANTE PARA BAJAR DE PESO.
ERES MÍO.
¡UAH!
¡SEGUNDOS FUERA!
¡UAH!
FIIU
Esquina A
Asalto
Tiempo restante
¡PRIMER ASALTO!
¡UAH! ¡UAH!
¡UAH!

DIIING
¡VAMOS, TAKAMURA! ¡CÁRGATELO!
¡UAH! ¡UAH!
¡UAH!
PAF
PAF
PAF
¡QUÉ JAB TAN PESADO!
¡Y QUÉ RÁPIDO!
¡UAH! ¡UAH!
¡ASÍ SE HACE, HIRANO! ¡ACABA CON ÉL!
PAM
BAM
BAM
¡UAH! ¡UAH!
¡TAKAMURA!
¡UAH!
¿QUÉ HACES, TAKAMURA? ¡LÁNZATE A POR ÉL COMO SIEMPRE!
HMPF. ¿QUÉ PASA? ¿NO TIENES FUERZAS?
¿O ES QUE ESTO ES TODO LO QUE VALE LA ESTRELLA DE JAPÓN?

PLOC
¡UAH! ¡UAH!
...
GRRR
ZAS
BAAAM
FAS
¡AH!

BAAAM

PLAF
スパパァーン!!
BL'AM
ドス…
EL... ¡EL VENCEDOR ES TAKAMURA!
ZAS
サッ
MAMORU
LO...
MAMORU

¡LO HA CONSE-GUIDO!
¡UAH!
¡UAH! ¡UAH! ¡UAH!
¡UAH!
¡SÍ! ¡TOMA! ¡HA GANADO TAKAMURA!
EH...
¡UAH!
PONG
¡YO SOY FAN DE HIRANO!
...
¡UAH!
¡UAH!
AYYY...
HAY QUE VER.
¡UAH!
SIGUES IGUAL QUE SIEMPRE.

¡UAH!
JE.
ふ…
¡UAH!
¿EH?
¡UAH! ¡UAH!
PARECE QUE TE VA BIEN.
MI... ¡MIYATA!
¡UAH!
¡UAH!
¡AH! ¡AH! ¡AH!
ぱくぱくぱく
¡UAH!
QUÉ EXAGERADO ERES.
TAKAMURA ES LA ESPERANZA DE JAPÓN A NIVEL MUNDIAL. NO ES RARO QUE YO HAYA VENIDO A VER SU COMBATE, ¿NO?
¡UAH!
BRRR BRRR
ドキドキ
ES... ES VERDAD.
¡AHORA QUE ME ACUERDO! ¡LEÍ EN UNA REVISTA QUE GANASTE TU PRIMER COMBATE POR KO EN EL PRIMER ASALTO! ¡ERES INCREÍBLE!
YA LO VES. AUNQUE NO ESPERABA GANAR TAN RÁPIDO.
LOS BOXEADORES PROFESIONALES IMPONEN BASTANTE.
TIENEN UN AURA MUY INTENSA.

¡PERO ESTOY MÁS QUE PREPARADO!
ASÍ TODO SERÁ MUCHO MÁS DIVERTIDO.
¡UAH! ¡UAH!
...
¡UAH! ¡UAH!
¡UAH!
COMO SEA, TAKAMURA ES INCREÍBLE.
EL COMBATE YA HA TERMINADO, PERO LOS ESPECTADORES NO PARAN DE GRITAR.
¡UAH! ¡UAH!
¡UAH!
¡UAH!
¡UAH!
¡SÍ! ¡ES INCREÍBLE! ¡ES GENIAL!
YO TAMBIÉN QUIERO CONVERTIRME EN BOXEADOR PROFESIONAL PRONTO.
¡UAH! ¡UAH! ¡UAH!
¡UAH!
EL EXAMEN PARA PROFESIONAL ES PRONTO, ¿NO?
NO LA CAGUES.
¡POR SUPUESTO! ME ESFORZARÉ.
¡UAH!
¡MIYATA! ¡MAKUNOUCHI! ¿QUÉ HAY? CUÁNTO TIEMPO.
OS HE VISTO DURANTE EL COMBATE ASÍ QUE HE DECIDIDO VENIR A SALUDAROS AL ACABAR.
¡PERO SI ES EL SEÑOR FUJII DE LA MONTHLY BOXING FAN!
¡UAH!
¡UAH! ¡UAH!
HAY ALGUIEN QUE ME GUSTARÍA PRESENTAROS. ES UN NOVATO DE VUESTRA MISMA CATEGORÍA QUE DEBUTARÁ PRONTO.
ES DEL MISMO GIMNASIO QUE HIRANO, EL QUE ACABA DE PERDER.

ES UN FASTIDIO QUE ME RELACIONES CON ESE TIPO AL PRESENTARME.
NO DIGAS ESO.
ZAS
MENUDA FORMA DE PERDER.
MENUDO SEGUNDÓN.
Y ÉL ES MIYATA, DEL GIMNASIO KAWAHARA.
JA, JA. SU NOMBRE ES MASHIBA.
Y ESTE DE AQUÍ ES...
AH, ME TOCA A MÍ.
BRRR BRRR BRRR BRRR
ドキ ドキ ドキ ドキ

---MAKUNOUCHI, DEL GIMNASIO KAMOGAWA.
ES UN PLACER.
ASÍ QUE TÚ ERES ICHIRÔ MIYATA, ¿VERDAD?

TE VI EN LA REVISTA. PARECE QUE ESPERAN MUCHO DE TI, ¿EH?
ENCANTADO DE CONOCERTE.
ME GUSTARÍA DECIR QUE EL PLACER ES MÍO, PERO ERES BASTANTE DESAGRADABLE, MASHIBA.
SI ERES COMPAÑERO DE GIMNASIO DE HIRANO, DEBERÍAS SABER MEJOR QUE NADIE LO DURO QUE HA ENTRENADO Y CUÁNTO SE HA ESFORZADO EN ADELGAZAR.
NO IMPORTA CÓMO PIERDA, NO DEBERÍAS LLAMARLO SEGUNDÓN.
Y MENOS SIENDO TÚ TAMBIÉN UN BOXEADOR.
WEST
JE---
¡JE, JE, JE!
NO SOLO TIENES CARA DE NIÑO MIMADO, SINO QUE ADEMÁS LO ERES, ¿EH?
¿CÓMO DICES?
GRRR---

EN EL BOXEO LOS RESULTADOS LO SON TODO.
NO IMPORTA CUÁNTO TE HAYAS ESFORZADO. SI PIERDES, SE ACABÓ.
EN EL BOXEO EL GANADOR SE LO QUEDA TODO PARA ÉL SOLO. ¿ME EQUIVOCO!?
¿O ACASO...? JE, JE, JE...
HE OÍDO QUE TU PADRE NO LLEGÓ A SER CAMPEÓN.
¿ES QUE TIENES ALGÚN COMPLEJO CON LA PALABRA SEGUNDÓN?
AH...
¡MALDITO!
ZAS

NO TENGAS PRISA. AMBOS SOMOS PESOS PLUMA.
RESOLVEREMOS ESTO TARDE O TEMPRANO.
JE, JE, JE...
¡QUÉ TIPO MÁS MALEDUCADO! ¡ES IMPERDONABLE!
¿VERDAD, MIYATA?
SEÑOR FUJII, ¿ÉL ES FUERTE?
AÚN NO TIENE LA LICENCIA.
ASÍ QUE NO PUEDO EVALUARLO COMO PROFESIONAL.
PERO EN EL CAMPEONATO DE NUEVAS PROMESAS DEL ESTE DE JAPÓN ACABARÉIS LUCHANDO CON ÉL.
O ESO ES LO QUE YO CREO.
CONQUE MASHIBA...
ES LA PRIMERA VEZ QUE ALGUIEN SE ME ACERCA TAN FÁCILMENTE.
¿QUÉ ESTÁS HACIENDO? ¿NO PIENSAS IRTE A CASA?
...

UN MES MÁS TARDE.
GIMNASIO KAMOGAWA
BUENO, NOS VAMOS.
NO... NOS VAMOS.
ESCUCHA. TU HABILIDAD ES MÁS QUE SUFICIENTE PARA APROBAR.
SI TE RELAJAS, NO TENDRÁS NINGÚN PROBLEMA. ¡NO TE DISTRAIGAS!
S... ¡SÍ!
BRRR BRRR BRRR BRRR BRRR
PRESIDENTE, MIENTRAS YO VAYA CON ÉL NO HABRÁ NINGÚN PROBLEMA.
CUENTO CONTIGO.
IPPO SE DIRIGE DE NUEVO AL PABELLÓN KÔRAKUEN.
FINALMENTE, EL DÍA DEL EXAMEN PARA PROFESIONAL HA LLEGADO.
Examen para profesional

FUAAAH...
EN ESTOS MOMENTOS DEBEN ESTAR ACABANDO EL EXAMEN ESCRITO Y PASANDO AL EXAMEN FÍSICO. BUENO, TRATÁNDOSE DE IPPO, SEGURO QUE EL EXAMEN ESCRITO LE HA IDO BIEN.
RAS RAS RAS
EL PROBLEMA SERÁ EL EXAMEN PRÁCTICO.
OH. YA SALEN.
TAP TAP
POP BOY's
15
TSK. NO PARA DE MIRAR A TODAS PARTES.
ES UNA BOLA DE NERVIOS, TAL Y COMO ESPERABA.
TO... TODOS PARECEN MUY FUERTES...
BRRR BRRR BRRR
NORTE
¡AH, ES TAKAMURA!
LUEGO LE PEDIRÉ SU AUTÓGRAFO.

DIIING
PAS PAS PAS
¡NÚMERO UNO Y DOS, AL RING!
RAS RAS
¡SON TODOS MALÍSIMOS PELEANDO!
¡JA, JA, JA!
PAS PAS PAS
¡SIGUIENTES! ¡NÚMEROS ONCE Y DOCE!
QUÉ RECUERDOS. CUANDO YO HICE EL EXAMEN TAMPOCO HABÍA NADIE BUENO APARTE DE MÍ.
¿HM?

FAS...
HMM... PARECE QUE HAY ALGUNO BASTANTE ENGREÍDO TAMBIÉN.
DIIING
¡CO-MEN-ZAD!
FIU
FIUFIU
FAS
PLOC

CLANC
QU... ¡QUÉ RÁPIDO!
¡NO PUEDO VER SUS GOLPES!
PAM PAM PAM PAM
PAM PAM
PLOC
FLAP
FLAP
PAM PAM
UAGH
PAF
AGH... QUÉ CRUEL. SU OPONENTE YA ESTÁ GROGUI.
LOS GOLPES SON TAN RÁPIDOS QUE NI SIQUIERA LE DEJA CAERSE AL SUELO.
PAM PAM PAM
NO SOLO ES RÁPIDO. ¡USA LA CADERA EN CADA UNO DE SUS GOLPES! ESE NO ES EL NIVEL DE ALGUIEN QUE SE PRESENTA AL EXAMEN PARA PROFESIONAL.

¡OYE! ¡YA ES SUFICIENTE!
PLOC
¡ALTO!
PAM PAM
BANG
¡UAH!
BANG
DING DING DING
¡LA CAMPANA! ¡HAZ QUE SUENE LA CAMPANA!
DING DING DING
E... ESE TIPO ESTÁ LOCO. SI RECIBES ESOS GOLPES ESTÁS ACABADO.
UUUGH...
ERA PESO PLUMA, ¿VERDAD? MENOS MAL QUE NO SOMOS DE LA MISMA CATEGORÍA.
¡PERO SI ES DEL MISMO PESO QUE IPPO!
¿EH? ¿DÓNDE HA IDO IPPO?

TOILET
EL PRESIDENTE HA DICHO QUE APROBARÉ SIN PROBLEMAS.
BLA BLA BLA
FAS FAS FAS
PERO SUELO DESPISTARME EN LOS MOMENTOS MÁS IMPORTANTES.
ME PREGUNTO SI TODO IRÁ BIEN.
BRRR BRRR BRRR
¡AH! ¡CONQUE ESTABAS AQUÍ! ¡YA ESTÁN LLAMANDO AL NÚMERO 15!
VO... ¡VOY!
HMM...
¿ESTÁS RELAJADO?
MÁS O MENOS.
¡BIEN! ¡A POR ELLOS!
PAM
¡SÍ!

ZAS
GUAU...
NO OS PREOCUPÉIS POR GANAR. ¿ENTENDIDO?
TRATAD DE MOSTRAR TODO LO QUE HABÉIS APRENDIDO EN EL GIMNASIO.
AH...
HMM... NO DEBO USAR SOLO LA DERECHA SINO TAMBIÉN LA IZQUIERDA Y...
BLA BLA BLA
¿QUÉ ESTÁ BALBUCEANDO?
QUÉ SUERTE, ME HA TOCADO UN OPONENTE FÁCIL.
JE.
TSK.
QUÉ ROLLO. ACABAD CON ESTO DE UNA VEZ.
...

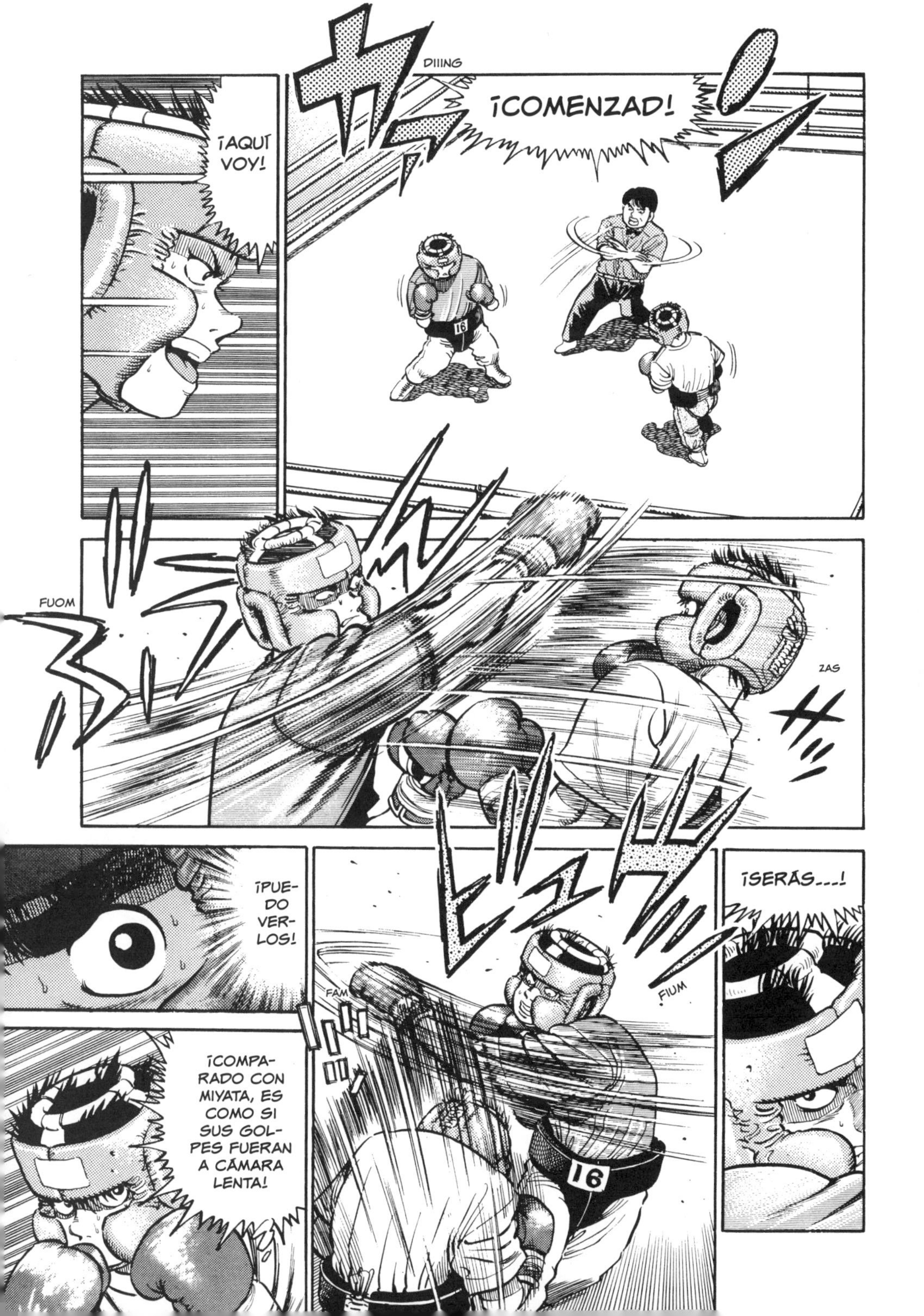
DIIING
¡COMENZAD!
¡AQUÍ VOY!
FUOM
ZAS
¡SERÁS...!
FIUM
FAM
¡PUE-DO VER-LOS!
¡COMPA-RADO CON MIYATA, ES COMO SI SUS GOL-PES FUERAN A CÁMARA LENTA!

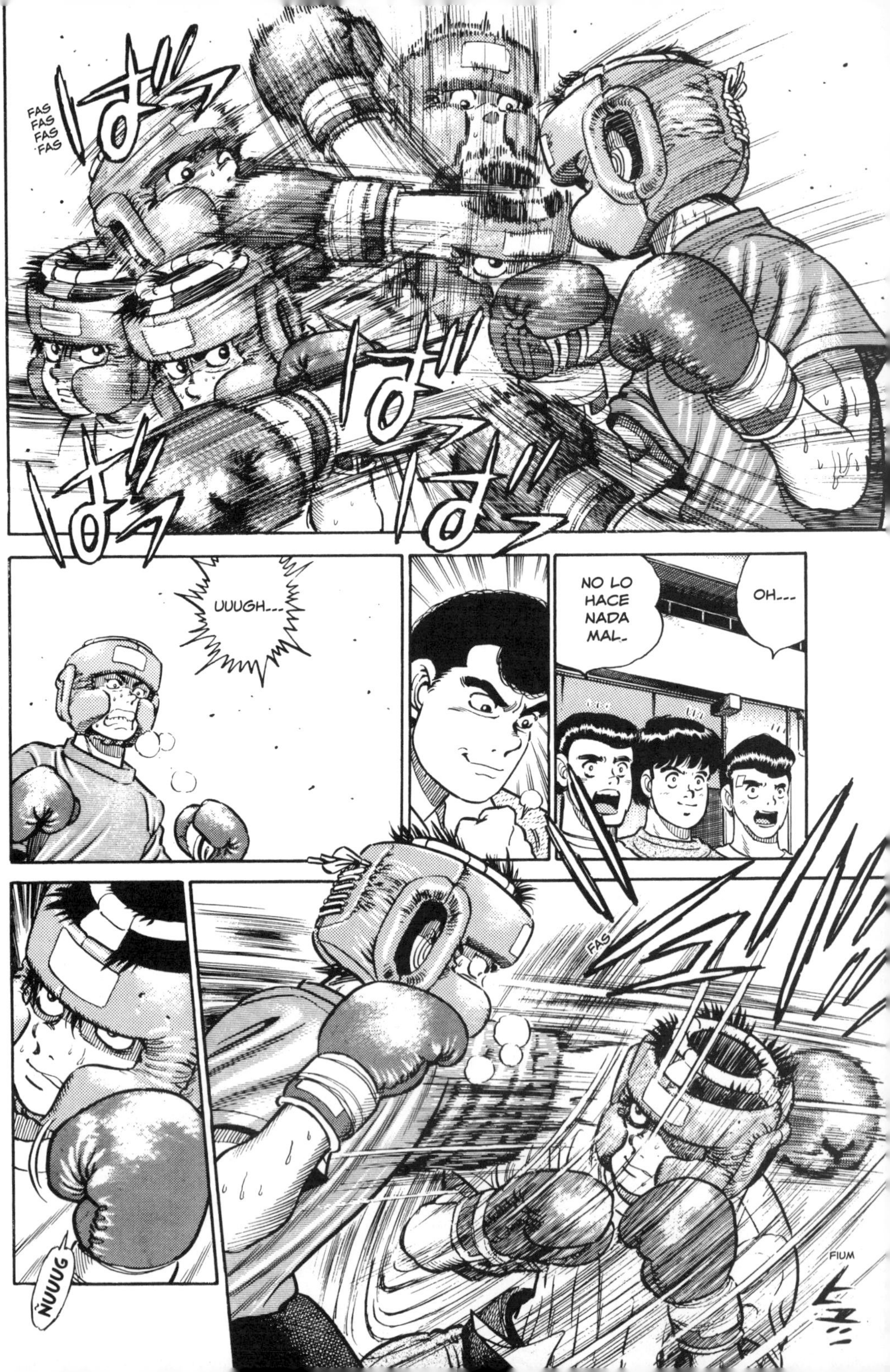
FAS
FAS
FAS
FAS
OH...
NO LO HACE NADA MAL.
UUUGH...
FAS
FIUM
ÑUUUG

¡AGH!
PLOC
¡ESTÁ DESCUBIERTO!
TOMP
ZAS

15

コツ
¡PLOC!

FLOP
PLAS
¡UGH! ¡LE HA HECHO DAR UNA VUELTA DE CAMPANA DE UN SOLO GOLPE!
¡NO HA SIDO UN SOLO GOLPE! ¡PRIMERO LE HA LANZADO UN JAB PARA INMOVILIZARLO!
¿CÓMO?
¡HA SIDO MÁS RÁPIDO INCLUSO QUE EL TIPO DE ANTES!
BLA
BLA
BLA
BLA
BLA
BLA
BLA
BLA
OESTE
TENÍA LA SENSACIÓN DE HABERTE VISTO EN ALGÚN LADO. ERES EL TIPO QUE ESTABA CON MIYATA, ¿VERDAD?
¡AH!
ERAS MASHIBA, ¿VERDAD?
ASÍ QUE TÚ TAMBIÉN ERES PESO PLUMA, ¿EH?
JE, JE...